UM SOPRO DE VIDA

lispector

UM SOPRO DE VIDA

POSFÁCIO DE
CARLOS MENDES DE SOUSA

Rocco

Copyright © 2019 *by* Paulo Gurgel Valente

Texto posfácio de Carlos Mendes de Sousa

Direitos desta edição reservados à
EDITORA ROCCO LTDA.
Rua Evaristo da Veiga, 65 – 11º andar
Passeio Corporate – Torre 1
20031-040 – Rio de Janeiro, RJ
Tel.: (21) 3525-2000 – Fax: (21) 3525-2001
rocco@rocco.com.br | www.rocco.com.br

Printed in Brazil/Impresso no Brasil

Preparação de originais
Pedro Karp Vasquez

Projeto gráfico
Victor Burton e Anderson Junqueira

CIP-Brasil. Catalogação na publicação.
Sindicato Nacional dos Editores de Livros, RJ.

L753s   Lispector, Clarice, 1920-1977
           Um sopro de vida / Clarice Lispector. – 1. ed.
         – Rio de Janeiro: Rocco, 2020.

         "Inclui posfácio"
         ISBN 978-65-5532-020-6
         ISBN 978-65-5595-019-9 (e-book)

         1. Romance brasileiro. I. Título.

20-65589   CDD-869.3
                                 CDU-82-31(81)

Meri Gleice Rodrigues de Souza – Bibliotecária CRB-7/6439

O texto deste livro obedece às normas
do Acordo Ortográfico da Língua Portuguesa.

Impressão e Acabamento: Gráfica Santa Marta

O sonho acordado é que é
a realidade
23

Como tornar tudo um sonho
acordado?
99

Livro de Ângela
107

Posfácio
177

"Quero escrever movimento puro."

Do pó da terra formou Deus-Jeovah o homem e soprou-lhe nas narinas o fôlego da vida. E o homem tornou-se um ser vivente.

– *Gênesis* 2,7

A alegria absurda por excelência é a criação.

– *Nietzsche*

O sonho é uma montanha que o pensamento há de escalar. Não há um sonho sem pensamento. Brincar é ensinar ideias.

– *Andréa Azulay*

Haverá um ano em que haverá um mês, em que haverá uma semana em que haverá um dia em que haverá uma hora em que haverá um minuto em que haverá um segundo e dentro do segundo haverá o não tempo sagrado da morte transfigurada.

– *Clarice Lispector*

ISTO NÃO É UM LAMENTO, é um grito de ave de rapina. Irisada e intranquila. O beijo no rosto morto. Eu escrevo como se fosse para salvar a vida de alguém. Provavelmente a minha própria vida. Viver é uma espécie de loucura que a morte faz. Vivam os mortos porque neles vivemos. De repente as coisas não precisam mais fazer sentido. Satisfaço-me em ser. Tu és? Tenho certeza que sim. O não sentido das coisas me faz ter um sorriso de complacência. De certo tudo deve estar sendo o que é. Hoje está um dia de nada. Hoje é zero hora. Existe por acaso um número que não é nada? que é menos que zero? que começa no que nunca começou porque sempre era? e era antes de sempre? Ligo-me a esta ausência vital e rejuvenesço-me todo, ao mesmo tempo contido e total. Redondo sem início e sem fim, eu sou o ponto antes do zero e do ponto final. Do zero ao infinito vou caminhando sem parar. Mas ao mesmo tempo tudo é tão fugaz. Eu sempre fui e imediatamente não era mais. O dia corre lá fora à toa e há abismos de silêncio em mim. A sombra de minha alma é o corpo. O corpo é a sombra de minha alma. Este livro é a sombra de mim. Peço vênia para passar. Eu me sinto culpado quando não vos obedeço. Sou feliz na hora errada. Infeliz quando todos dançam. Me disseram que os aleijados se rejubilam assim como me disseram que os cegos se alegram. É que os infelizes se compensam. Nunca a vida foi tão atual como hoje: por um triz é o futuro. Tempo para mim significa a desagregação da matéria. O apodrecimento do que é orgânico como se o tempo tivesse como um verme dentro de um fruto e fosse roubando a este fruto toda a sua polpa. O tempo não existe. O que chamamos de tempo é o movimento de evolução das coisas, mas o tempo em si não existe. Ou existe imutável e nele nos transladamos. O tempo passa depressa demais e a vida é tão curta. Então – para que eu não seja engolido pela voracidade das horas e pelas novidades que fazem o tempo passar depressa – eu cultivo um certo tédio. Degusto assim cada detestável minuto. E cultivo também o vazio silêncio da eternidade da espécie. Quero viver muitos minutos num só minuto. Quero me multiplicar para poder abranger até áreas desérticas que dão a ideia de imobilidade eterna. Na eternidade não existe o tempo. Noite e dia são contrários porque são o tempo e o tempo não se divide. De agora em diante o tempo vai ser sempre atual. Hoje é hoje. Espanto-me ao mesmo tempo desconfiado por tanto me ser dado. E amanhã eu vou ter de novo um hoje. Há algo de dor e pungência em viver o hoje. O paroxismo da mais fina e extrema nota de violino insistente. Mas há o hábito e o hábito anestesia. O aguilhão de abelha do dia florescente de hoje. Graças a Deus, tenho o que comer. O pão nosso de cada dia.

Eu queria escrever um livro. Mas onde estão as palavras? esgotaram-se os significados. Como surdos e mudos comunicamo-nos com as mãos. Eu queria que me dessem licença para eu escrever ao som harpejado e agreste a sucata da palavra. E prescindir de ser discursivo. Assim: poluição. Escrevo ou não escrevo? Saber desistir. Abandonar ou não abandonar – esta é muitas vezes a questão para um jogador. A arte de abandonar não é ensinada a ninguém. E está longe de ser rara a situação angustiosa em que devo decidir se há algum sentido em prosseguir jogando. Serei capaz de abandonar nobremente? ou sou daqueles que prosseguem teimosamente esperando que aconteça alguma coisa? como, digamos, o próprio fim do mundo? ou seja lá o que for, como a minha morte súbita, hipótese que tornaria supérflua a minha desistência?

Eu não quero apostar corrida comigo mesmo. Um fato. O que é que se torna fato? Devo-me interessar pelo acontecimento? Será que desço tanto a ponto de encher as páginas com informações sobre os "fatos"? Devo imaginar uma história ou dou largas à inspiração caótica? Tanta falsa inspiração. E quando vem a verdadeira e eu não tomo conhecimento dela? Será horrível demais querer se aproximar dentro de si mesmo do límpido eu? Sim, e é quando o eu passa a não existir mais, a não reivindicar nada, passa a fazer parte da árvore da vida – é por isso que luto por alcançar. Esquecer-se de si mesmo e no entanto viver tão intensamente.

Tenho medo de escrever. É tão perigoso. Quem tentou, sabe. Perigo de mexer no que está oculto – e o mundo não está à tona, está oculto em suas raízes submersas em profundidades do mar. Para escrever tenho que me colocar no vazio. Neste vazio é que existo intuitivamente. Mas é um vazio terrivelmente perigoso: dele arranco sangue. Sou um escritor que tem medo da cilada das palavras: as palavras que digo escondem outras – quais? talvez as diga. Escrever é uma pedra lançada no poço fundo. Meditação leve e terna sobre o nada. Escrevo quase que totalmente liberto de meu corpo. É como se este estivesse em levitação. Meu espírito está vazio por causa de tanta felicidade. Estou tendo uma liberdade íntima que só se compara a um cavalgar sem destino pelos campos afora. Estou livre de destino. Será o meu destino alcançar a liberdade? não há uma ruga no meu espírito que se espraia em leves espumas. Não estou mais acossado. Isto é a graça. Estou ouvindo música. Debussy usa as espumas do mar morrendo na areia, refluindo e fluindo. Bach é matemático. Mozart é o divino impessoal. Chopin conta a sua vida mais íntima. Schoenberg, através de seu eu, atinge o clássico eu de todo o mundo. Beethoven é a emulsão humana em tempestade procurando o divino e só o alcançando na morte. Quanto a mim, que não peço música, só chego ao limiar da palavra nova. Sem coragem de expô-la. Meu vocabulário é triste e às vezes wagneriano-polifônico-paranoico. Escrevo muito simples e muito nu. Por isso fere. Sou uma paisagem cinzenta e azul. Elevo-me na fonte seca e na luz fria.

Quero escrever esquálido e estrutural como o resultado de esquadros, compassos e agudos ângulos de estreito enigmático triângulo.

"Escrever" existe por si mesmo? Não. É apenas o reflexo de uma coisa que pergunta. Eu trabalho com o inesperado. Escrevo como escrevo sem saber como e por quê – é por fatalidade de voz. O meu timbre sou eu. Escrever é uma indagação. É assim:

Será que estou me traindo? será que estou desviando o curso de um rio? Tenho que ter confiança nesse rio abundante. Ou será que ponho uma barreira no curso de um rio?

Tento abrir as comportas, quero ver a água jorrar com ímpeto. Quero que cada frase deste livro seja um clímax. Eu tenho que ter paciência pois os frutos serão surpreendentes. Este é um livro silencioso. E fala, fala baixo. Este é um livro fresco – recém-saído do nada. Ele é tocado ao piano delicada e firmemente ao piano e todas as notas são límpidas e perfeitas, umas separadas das outras. Este livro é um pombo-correio. Eu escrevo para nada e para ninguém. Se alguém me ler será por conta própria e autorrisco. Eu não faço literatura: eu apenas vivo ao correr do tempo. O resultado fatal de eu viver é o ato de escrever. Há tantos anos me perdi de vista que hesito em procurar me encontrar. Estou com medo de começar. Existir me dá às vezes tal taquicardia. Eu tenho tanto medo de ser eu. Sou tão perigoso. Me deram um nome e me alienaram de mim.

Sinto que não estou escrevendo ainda. Pressinto e quero um linguajar mais fantasioso, mais exato, com maior arroubo, fazendo espirais no ar.

Cada novo livro é uma viagem. Só que é uma viagem de olhos vendados em mares nunca dantes revelados – a mordaça nos olhos, o terror da escuridão é total. Quando sinto uma inspiração, morro de medo porque sei que de novo vou viajar e sozinho num mundo que me repele. Mas meus personagens não têm culpa disso e eu os trato o melhor possível. Eles vêm de lugar nenhum. São a inspiração. Inspiração não é loucura. É Deus. Meu problema é o medo de ficar louco. Tenho que me controlar. Existem leis que regem a comunicação. A impessoalidade é uma condição. A separatividade e a ignorância são o pecado num sentido geral. E a loucura é a tentação de ser totalmente o poder. As minhas limitações são a matéria-prima a ser trabalhada enquanto não se atinge o objetivo.

Eu vivo em carne viva, por isso procuro tanto dar pele grossa a meus personagens. Só que não aguento e faço-os chorar à toa.

Raízes semoventes que não estão plantadas ou a raiz de um dente? Pois também eu solto as minhas amarras: mato o que me perturba e o bom e o ruim me perturbam, e vou definitivamente ao encontro de um mundo que está dentro de mim, eu que escrevo para me livrar da carga difícil de uma pessoa ser ela mesma.

Em cada palavra pulsa um coração. Escrever é tal procura de íntima veracidade de vida. Vida que me perturba e deixa o meu próprio coração trêmulo sofrendo a incalculável dor que parece ser necessária ao meu amadurecimento – amadurecimento? Até agora vivi sem ele!

É. Mas parece que chegou o instante de aceitar em cheio a misteriosa vida dos que um dia vão morrer. Tenho que começar por aceitar-me e não sentir o horror punitivo de cada vez que eu caio, pois quando eu caio a raça humana em mim também cai. Aceitar-me plenamente? é uma violentação de minha vida. Cada mudança, cada projeto novo causa espanto: meu coração está espantado. É por isso que toda a minha palavra tem um coração onde circula sangue.

Tudo o que aqui escrevo é forjado no meu silêncio e na penumbra. Vejo pouco, ouço quase nada. Mergulho enfim em mim até o nascedouro do espírito que me habita. Minha nascente é obscura. Estou escrevendo porque não sei o que fazer de mim. Quer dizer: não sei o que fazer com meu espírito. O corpo informa muito. Mas eu desconheço as leis do espírito: ele vagueia. Meu pensamento, com a enunciação das palavras mentalmente brotando, sem depois eu falar ou escrever – esse meu pensamento de palavras é precedido por uma instantânea visão, sem palavras, do pensamento –

palavra que se seguirá, quase imediatamente – diferença espacial de menos de um milímetro. Antes de pensar, pois, eu já pensei. Suponho que o compositor de uma sinfonia tem somente o "pensamento antes do pensamento", o que se vê nessa rapidíssima ideia muda é pouco mais que uma atmosfera? Não. Na verdade é uma atmosfera que, colorida já com o símbolo, me faz sentir o ar da atmosfera de onde vem tudo. O pré-pensamento é em preto e branco. O pensamento com palavras tem cores outras. O pré-pensamento é o pré-instante. O pré-pensamento é o passado imediato do instante. Pensar é a concretização, materialização do que se pré-pensou. Na verdade o pré-pensar é o que nos guia, pois está intimamente ligado à minha muda inconsciência. O pré-pensar não é racional. É quase virgem.

Às vezes a sensação de pré-pensar é agônica: é a tortuosa criação que se debate nas trevas e que só se liberta depois de pensar – com palavras.

Vós me obrigais a um esforço tremendo de escrever; ora, me dê licença, meu caro, deixa eu passar. Sou sério e honesto e se não digo a verdade é porque esta é proibida. Eu não aplico o proibido mas eu o liberto. As coisas obedecem ao sopro vital. Nasce-se para fruir. E fruir já é nascer. Enquanto fetos fruímos do conforto total do ventre materno. Quanto a mim, não sei de nada. O que tenho me entra pela pele e me faz agir sensualmente. Eu quero a verdade que só me é dada através do seu oposto, de sua inverdade. E não aguento o cotidiano. Deve ser por isso que escrevo. Minha vida é um único dia. E é assim que o passado me é presente e futuro. Tudo numa só vertigem. E a doçura é tanta que faz insuportável cócega na alma. Viver é mágico e inteiramente inexplicável. Eu compreendo melhor a morte. Ser cotidiano é um vício. O que é que eu sou? sou um pensamento. Tenho em mim o sopro? tenho? mas quem é esse que tem? quem é que fala por mim? tenho um corpo e um espírito? eu sou um eu? "É exatamente isto, você é um eu", responde-me o mundo terrivelmente. E fico horrorizado. Deus não deve ser pensado jamais senão Ele foge ou eu fujo. Deus deve ser ignorado e sentido. Então Ele age. Pergunto-me: por que Deus pede tanto que seja amado por nós? resposta possível: porque assim nós amamos a nós mesmos e em nos amando, nós nos perdoamos. E como precisamos de perdão. Porque a própria vida já vem mesclada ao erro.

    O resultado disso tudo é que vou ter que criar um personagem – mais ou menos como fazem os novelistas, e através da criação dele para conhecer. Porque eu sozinho não consigo: a solidão, a mesma que existe em cada um, me faz inventar. E haverá outro modo de salvar-se? senão o de criar as próprias realidades? Tenho força para isso como todo o mundo – é ou não é verdade que nós terminamos por criar uma frágil e doida realidade que é a civilização? essa civilização apenas guiada pelo sonho. Cada invenção minha soa-me como uma prece leiga – tal é a intensidade de sentir, escrevo para aprender. Escolhi a mim e ao meu personagem – Ângela Pralini – para que talvez através de nós eu possa entender essa falta de definição da vida. Vida não tem adjetivo. É uma mistura em cadinho estranho mas que me dá em última análise, em respirar. E às vezes arfar. E às vezes mal poder respirar. É. Mas às vezes há também o profundo hausto de ar que até atinge o fino frio do espírito, preso ao corpo por enquanto.

    Eu queria iniciar uma experiência e não apenas ser vítima de uma experiência não autorizada por mim, apenas acontecida. Daí minha invenção de um personagem. Também quero quebrar, além do enigma do personagem, o enigma das coisas.

Este ao que suponho será um livro feito aparentemente por destroços de livro. Mas na verdade trata-se de retratar rápidos vislumbres meus e rápidos vislumbres de meu personagem Ângela. Eu poderia pegar cada vislumbre e dissertar durante páginas sobre ele. Mas acontece que no vislumbre é às vezes que está a essência da coisa. Cada anotação tanto no meu diário como no diário que eu fiz Ângela escrever, levo um pequeno susto. Cada anotação é escrita no presente. O instante já é feito de fragmentos. Não quero dar um falso futuro a cada vislumbre de um instante. Tudo se passa exatamente na hora em que está sendo escrito ou lido. Este trecho aqui foi na verdade escrito em relação à sua forma básica depois de ter relido o livro porque no decorrer dele eu não tinha bem clara a noção do caminho a tomar. No entanto, sem dar maiores razões lógicas, eu me aferrava exatamente em manter o aspecto fragmentário tanto em Ângela quanto em mim.

Minha vida é feita de fragmentos e assim acontece com Ângela. A minha própria vida tem enredo verdadeiro. Seria a história da casca de uma árvore e não da árvore. Um amontoado de fatos em que só a sensação é que explicaria. Vejo que, sem querer, o que escrevo e Ângela escreve são trechos por assim dizer soltos, embora dentro de um contexto de...

É assim que desta vez me ocorre o livro. E, como eu respeito o que vem de mim para mim, assim mesmo é que eu escrevo.

O que está escrito aqui, meu ou de Ângela, são restos de uma demolição de alma, são cortes laterais de uma realidade que se me foge continuamente. Esses fragmentos de livro querem dizer que eu trabalho em ruínas.

Eu sei que este livro não é fácil, mas é fácil apenas para aqueles que acreditam no mistério. Ao escrevê-lo não me conheço, eu me esqueço de mim. Eu que apareço neste livro não sou eu. Não é autobiográfico, vocês não sabem nada de mim. Nunca te disse e nunca te direi quem sou. Eu sou vós mesmos. Tirei deste livro apenas o que me interessava – deixei de lado minha história e a história de Ângela. O que me importa são instantâneos fotográficos das sensações – pensadas, e não a pose imóvel dos que esperam que eu diga: olhe o passarinho! Pois não sou fotógrafo de rua.

Já li este livro até o fim e acrescento alguma notícia neste começo. Quer dizer que o fim, que não deve ser lido antes, se emenda num círculo ao começo, cobra que engole o próprio rabo. E, ao ter lido o livro, cortei muito mais que a metade, só deixei o que me provoca e inspira para a vida: estrela acesa ao entardecer.

Não ler o que escrevo como se fosse um leitor. A menos que esse leitor trabalhasse, ele também, nos solilóquios do escuro irracional.

Se este livro vier jamais a sair, que dele se afastem os profanos. Pois escrever é coisa sagrada onde os infiéis não têm entrada. Estar fazendo de propósito um livro bem ruim para afastar os profanos que querem "gostar". Mas um pequeno grupo verá que esse "gostar" é superficial e entrarão adentro do que verdadeiramente escrevo, e que não é "ruim" nem é "bom".

A inspiração é como um misterioso cheiro de âmbar. Tenho um pedacinho de âmbar comigo. O cheiro me faz ser irmã das santas orgias do Rei Salomão e a Rainha de Sabá. Benditos sejam os teus amores. Será que estou com medo de dar o passo de morrer agora mesmo? Cuidar para não morrer. No entanto eu já estou no futuro. Esse meu futuro que será para vós o passado de um morto. Quando acabardes este livro chorai por mim uma aleluia. Quando fechardes as últimas páginas deste malogrado e afoito e brincalhão livro de vida então esquecei-me. Que Deus vos abençoe então e este livro acaba bem. Para enfim eu ter repouso. Que a paz esteja entre nós, entre vós e entre mim. Estou caindo no discurso? que me perdoem os fiéis do templo: eu escrevo e assim me livro de mim e posso então descansar.

O SONHO ACORDADO É QUE É A REALIDADE

O SONHO ACORDADO
E QUE É A REALIDADE

NGELA

A ÚLTIMA PALAVRA será a quarta
dimensão.
Comprimento: ela falando
Largura: atrás do pensamento
Profundidade: eu falando dela, dos fatos e sentimentos
e de seu atrás do pensamento.

Eu tenho que ser legível quase no escuro.

IVE UM SONHO NÍTIDO inexplicável: sonhei que brincava com o meu reflexo. Mas meu reflexo não estava num espelho, mas refletia uma outra pessoa que não eu. Por causa desse sonho é que inventei Ângela como meu reflexo. Tudo é real mas se move va-ga-ro-sa-men-te em câmera lenta. Ou pula de um tema a outro, desconexo. Se me desenraízo fico de raiz exposta ao vento e à chuva. Friável. E não como o granito azulado e pedra de Iansã sem fenda nem frincha. Ângela por enquanto tem uma tarja sobre o rosto que lhe esconde a identidade. À medida que ela for falando vai tirando a tarja – até o rosto nu. Sua cara fala rude e expressiva. Antes de desvendá-la lavarei os ares com chuva e amaciarei o terreno para a lavoura.

Vou evitar afundar no redemoinho de seu rio de ouro líquido com reflexos de esmeraldas. Sua lama é avermelhada. Ângela é uma estátua que grita e esvoaça em torno das copas das árvores. Seu mundo é apenas tão irreal como a vida de quem porventura me lesse. Seguro alto a lanterna para que ela entreveja o caminho que é um descaminho. É com incontida alegria que estupefato vejo-a se erguer e voar com ruflo de asas.

Para criá-la eu tenho que arar a terra. Há alguma avaria no funcionamento do sistema de computadores de minha nave enquanto vara os espaços em busca de uma mulher? computador que seja em vidros de silício puro, com o equivalente a milhares de transistores microscópicos gravados em sua superfície polida e faiscante com o sol a pino num espelho, Ângela é um espelho.

Eu quero que através dela os mais altos axiomas de matemática possam ser resolvidos numa fração de segundo. Quero calcular através dela o resultado de sete vezes a raiz quadrada de 15 elevada à terceira potência. (A resposta exata é 406,663325.)

O cérebro de Ângela fica embutido numa camada protetora de plástico que o torna praticamente indestrutível – depois que eu morrer Ângela continuará a vibrar. Estátua sempre transladada pelo doido inquietante zumbido de três milhares de abelhas douradas. Um anjo carregado por borboletas azuis? Anjo não nasce nem morre. Anjo é um estado de espírito. Eu a esculpi com raízes retorcidas. É só por atrevimento que Ângela existe em mim. Quanto a mim reduzo tudo em palavras de roda-viva.

Todos nós estamos sob pena de morte. Enquanto escrevo posso morrer. Um dia morrerei entre os fatos diversos.

– Foi Deus que me inventou e em mim soprou e eu virei um ser vivente. Eis que apresento a mim mesmo uma figura. E acho, portanto, que já nasci o suficiente para poder tentar me expressar mesmo que seja em palavras rudes. É o meu interior que fala e às vezes sem nexo para a consciência. Falo como se alguém falasse por mim. O leitor é que fala por mim? Eu não me lembro de minha vida antes, pois que tenho o resultado que é hoje. Mas me lembro do dia de amanhã.

Como começo? Estou tão assustado que o jeito de entrar nesta escritura tem que ser de repente, sem aviso prévio. Escrever é sem aviso prévio. Eis portanto que começo com o instante igual ao de quem se lança no suicídio: o instante é de repente. E eis que é de repente que entro no pleno meio de uma festa. Estou alvoroçado e apreensivo: não é fácil lidar com Ângela, a mulher que inventei porque precisava de um fac-símile de diálogo. Festa maldita? Não, a festa de um homem que quer repartir com você, Ângela, o que me embebe todo.

Ângela Pralini é festa de nascimento. Não sei o que esperar dela: terei apenas que transcrevê-la? Tenho que ter paciência para não me perder dentro de mim: vivo me perdendo de vista. Preciso de paciência porque sou vários caminhos, inclusive o fatal beco sem saída. Sou um homem que escolheu o silêncio grande. Criar um ser que me contraponha é dentro do silêncio. Clarineta em espiral. Violoncelo escuro. Mas consigo ver, embora mal e mal, Ângela de pé junto a mim. Ei-la que se aproxima um pouco mais. Depois senta-se ao meu lado, debruça o rosto entre as mãos e chora por ter sido criada. Consolo-a fazendo-a entender que também eu tenho a vasta e informe melancolia de ter sido criado. Antes tivesse eu permanecido na imanescença do sagrado Nada. Mas há uma sabedoria da natureza que me faz, depois de criado, mover-me sem que eu saiba para que servem as pernas. Ângela, eu também fiz meu lar em ninho estranho e também obedeço à insistência da vida. Minha vida me quer escritor e então escrevo. Não é por escolha: é íntima ordem de comando. E assim que recebi o sopro de vida que fez de mim um homem, sopro em você que se torna uma alma. Apresento você a mim, te visualizando em instantâneos que ocorrem já no meio de tua inauguração: você não começa pelo princípio, começa pelo meio, começa pelo instante de hoje.

Começa o dia. O dia é um britador de pedras de rua que ouço no meu quarto. Eu queria que no meu modo de te fixar para mim mesmo nada tivesse recortes e definições: tudo se entremoveria num moto circular.

Às vezes sinto que Ângela é eletrônica. É uma máquina de alta precisão ou nascida em proveta? Ela é feita de molas e parafusos? Ou é a metade viva de mim? Ângela é mais do que eu mesmo. Ângela não sabe que é personagem. Aliás eu também talvez seja o personagem de mim mesmo. Será que Ângela sente que é um personagem? Porque, quanto a mim, sinto de vez em quando que sou o personagem de alguém. É incômodo ser dois: eu para mim e eu para os outros. Eu moro na minha ermida de onde apenas saio para existir em mim: Ângela Pralini. Ângela é minha necessidade. Mas ainda não sei por que Ângela vive numa espécie de contínua oração. Oração pagã. Sempre novos terrores excomungados. Ela alcançou uma língua nativa.

Ângela não se conhece, e não tem em si a própria imagem nítida. Há desconexão nela. Ela confunde em si o "para-mim" e o "de-mim"! Se ela não estivesse tão abismada e paralisada pelo seu existir, ver-se-ia também de fora para dentro – e descobriria que era uma pessoa voraz: come com um desregramento que beira a completa sofreguidão como se lhe tirassem o pão da boca. Mas ela pensa que é apenas delicada.

Estou esculpindo Ângela com pedras das encostas, até formá-la em estátua. Aí sopro nela e ela se anima e me sobrepuja.

É preciso não esquecer que difiro basicamente de Ângela. Além do mais, o homem que sou, tenta em vão inquieto acompanhar os meandros bizantinos de uma mulher, com desvãos e cantos e ângulos e carne fresca – e de repente espontânea como uma flor. Eu como escritor espalho sementes. Ângela Pralini nasceu de uma semente antiga que joguei em terra dura há milênios. Para se chegar até a mim foi preciso milênios sobre a terra?

Até onde vou eu e em onde já começo a ser Ângela? Somos frutos da mesma árvore? Não – Ângela é tudo o que eu queria ser e não fui. O que é ela? ela é as ondas do mar. Enquanto eu sou floresta espessa e sombria. Eu sou no fundo. Ângela se espalha em estilhaços brilhantes. Ângela é a minha vertigem. Ângela é a minha reverberação, sendo emanação minha, ela é eu. Eu, o autor: o incógnito. É por coincidência que eu sou eu. Ângela parece uma coisa íntima que se exteriorizou. Ângela não é um "personagem". É evolução de um sentimento. Ela é uma ideia encarnada no ser. No começo só havia a ideia. Depois o verbo veio ao encontro da ideia. E depois o verbo já não era meu: me transcendia, era de todo o mundo, era de Ângela.

Eu sempre quis achar um dia uma pessoa que vivesse por mim pois a vida é tão repleta de coisas inúteis que só a aguento com astenia muscular in extremis, tenho preguiça moral de viver. Pretendi fazer com que Ângela vivesse em meu lugar – mas também ela só quer o clímax da vida.

Será que criei Ângela para ter um diálogo comigo mesmo? Eu inventei Ângela porque preciso me inventar – Ângela é uma espantada.

Tudo o que sei eu não posso provar. O que imagino é real, senão sobre que base eu imaginaria Ângela, a que brame, muge, geme, resfolega, balindo e rosnando e grunhindo.

Estou me sentindo como se já tivesse alcançado secretamente o que eu queria e continuasse a não saber o que eu alcancei. Será que foi essa coisa meio equívoca e esquiva que chamam vagamente de "experiência"?

UTOR. – Eu tenho medo de quando a terra se formou. Que tremendo estrondo cósmico. De camada em camada subterrânea chego ao primeiro homem criado. Chego ao passado dos outros. Lembro-me desse infinito e impessoal passado que é sem inteligência: é orgânico e é o que me inquieta. Eu não comecei comigo ao nascer. Comecei quando dinossauros lentos tinham começado. Ou melhor: nada se começa. É isso: só quando o homem toma conhecimento através do seu rude olhar é que lhe parece um começo. Ao mesmo tempo – aparento contradição – eu já comecei muitas vezes. Agora mesmo estou começando. Quanto a Ângela, ela nasceu comigo agora, ela se força a existir. Só que eu sou marginalizado apesar de ter mulher e filhos – marginalizado porque escrevo. Pois em vez de seguir pela estrada já aberta enveredei por um atalho. Os atalhos são perigosos. Enquanto Ângela é enquadrada e social.

Ângela tem em si água e deserto, povoamento e ermo, fartura e carência, medo e desafio. Tem em si a eloquência e a absurda mudez, a surpresa e a antiguidade, o requinte e a rudeza. Ela é barroca.

Extraio meus sentimentos e palavras da minha noite absoluta.

A diferença entre mim e Ângela se pode sentir. Eu enclausurado no meu pequeno mundo estreito e angustiante, sem saber como sair para respirar a beleza do que está fora de mim. Ângela, ágil, graciosa, cheia do badalar de sinos. Eu, parece que amarrado a um destino. Ângela com a leveza de quem não tem um fim.

Ângela está continuamente sendo feita e não tem nenhum compromisso com a própria vida nem com a literatura nem com qualquer arte, ela é desproposital.

Ângela se consola de existir pensando: "eu pelo menos tenho a vantagem de ser eu, e não uma outra pessoa estranha qualquer".

Eu desbravo Ângela. Tenho que transpor montanhas e áreas desoladas, batidas por ciclônicas tempestades, inundadas por chuvas torrenciais e crestadas sob um alto e voraz sol inclemente como a justiça ideal. Eu percorro essa mulher como um trem fantasma, por colinas e vales, através de cidades adormecidas. Minha esperança é encontrar o esboço de uma resposta. Avanço com cuidado.

– Sei que em Monserrate – montanhas de conforto íntimo e de solidão pura – foram encontradas cerâmicas da Idade da Pedra e da Idade do Bronze, e dois esqueletos de íberos, o povo que primitivamente habitou essa região. Isso me desperta uma alma acesa que bruxuleia em mim ao sabor de ventos soltos. Eu queria poder fazer com que Ângela soubesse disso mas não sei como encaixar na sua vida esse conhecimento que implica numa saída de si próprio para o terreno límpido e da pura informação. Informação preciosa que me situa em milênios atrás e me fascina pela secura da comunicação da frase.

Gelado e atordoante. Eu imaginei o barulho límpido de gotas de água caindo na água – só que esse mínimo e delicado ruído seria aumentado até além do som, em enormes gotas cristalinas com um badalar molhado de sinos que submergem. No ar gelado e atordoante as estátuas adormecidas.

Estou escrevendo às apalpadelas.

Será que eu sei verdadeiramente que eu sou eu? Essa indagação vem de que observo que Ângela não parece saber a si mesma. Ela desconhece que tem um centro dela e que é duro como uma noz. De onde se irradiam as palavras. Fosforescente.

Desânimo. Gosto de cigarro apagado.

A sensação é a alma do mundo. A inteligência é uma sensação? Em Ângela é.

Noto que os meus imitadores são melhores que eu. A imitação é mais requintada que a autenticidade em estado bruto. Estou com a impressão de que ando me imitando um pouco. O pior plágio é o que se faz de si mesmo. A luta é dura: se eu for fraco morro. Quanto a Ângela, devo dizer que sei perfeitamente que ela é apenas um personagem. Estou absolutamente lúcido e posso falar com alguma objetividade. Mas o que eu não entendo é por que inventei Ângela Pralini. Foi para enganar alguém. Talvez. O pouco de popularidade que eu tenho me desagrada. E há também os meus imitadores. Mas e eu? Para que estilo eu vou, se já fui tão usado e manuseado por algumas pessoas que tiveram o mau gosto de serem eu? Vou escrever um livro tão fechado que não dará passagem senão para alguns. Ou talvez eu não escreva nunca mais. Nada sei.

O futuro – como diria Ângela – pesa toneladas em cima de mim. Estou perdido neste domingo sem frio e sem calor, já tendo me refugiado num cinema.

Minha escuridão fatal será promessa de uma luz também fatal? Acontece que eu temo a luz fatal e já tenho certa intimidade com a escuridão.

Eu já saí do território do humano e Ângela por conseguinte também. Me transcendi em certo grau de mudez e surdez: vivo por um fio.

Eu quisera.

AUTOR. – Eu sou o autor de uma mulher que inventei e a quem dei o nome de Ângela Pralini. Eu vivia bem com ela. Mas ela começou a me inquietar e vi que eu tinha de novo que assumir o papel de escritor para colocar Ângela em palavras porque só então posso me comunicar com ela.
  Eu escrevo um livro e Ângela outro: tirei de ambos o supérfluo.
  Eu escrevo à meia-noite porque sou escuro. Ângela escreve de dia porque é quase sempre luz alegre.
  Este é um livro de não memórias. Passa-se agora mesmo, não importa quando foi ou é ou será esse agora mesmo. É um livro como quando se dorme profundo e se sonha intensamente – mas tem um instante em que se acorda, se desvanece o sono, e do sonho fica apenas um gosto de sonho na boca e no corpo, fica apenas a certeza de que se dormiu e se sonhou. Faço o possível para escrever por acaso. Eu quero que a frase aconteça. Não sei expressar-me

por palavras. O que sinto não é traduzível. Eu me expresso melhor pelo silêncio. Expressar-me por meio de palavras é um desafio. Mas não correspondo à altura do desafio. Saem pobres palavras. E qual é mesmo a palavra secreta? Não sei e por que a ouso? Só não sei porque não ouso dizê-la? Bem sei que estou no escuro e eu me alimento com a própria e vital escuridão. Minha escuridão é uma larva que tem dentro de si talvez a borboleta? Está tão escuro que estou cego. Eu simplesmente não posso mais escrever. Vou deixar por uns dias Ângela falar. Quanto a mim acho...

Ângela – Viver me deixa trêmula.

Autor – A mim também a vida me faz estremecer.

Ângela – Estou ansiosa e aflita.

Autor – Vejo que Ângela não sabe como começar. Nascer é difícil. Aconselho-a a falar mais facilmente sobre fatos? Vou ensiná-la a começar pelo meio. Ela tem que deixar de ser tão hesitante porque senão vai ser um livro todo trêmulo, uma gota d'água pendurada quase a cair e quando cai divide-se em estilhaços de pequenas gotas espalhadas. Coragem, Ângela, comece sem ligar para nada.

Ângela... e me indago a mim mesma se estou perto de morrer. Porque escrevo quase em estertor e sinto-me dilacerada como numa despedida de adeus.

Autor – Isto afinal é um diálogo ou um duplo diário? Só sei uma coisa: neste momento estou escrevendo: "neste momento" é coisa rara porque só às vezes piso com os dois pés na terra do presente: em geral um pé resvala para o passado, outro pé resvala para o futuro. E fico sem nada.

Ângela é a minha tentativa de ser dois. Infelizmente, porém, nós, por força das circunstâncias, nos parecemos e ela também escreve porque só conheço alguma coisa do ato de escrever. (Apesar de que eu não escrevo: eu falo.) Fiz uma breve avaliação de posses e cheguei à conclusão espantada de que a única coisa que temos que ainda não nos foi tirada: o próprio nome. Ângela Pralini, nome tão gratuito quanto o teu e que se tornou título de minha trêmula identidade. Essa identidade me leva a algum caminho? Que faço de mim? Pois nenhum ato me simboliza.

Ângela – Astronomia me leva a uma estrela de Deus. Se evola em incenso puro que se quebra em palavras de vidro.

Autor – Meu não eu é magnífico e me ultrapassa. No entanto ela me é eu.

Ângela – Eu nasci amalgamada com a solidão deste exato instante e que se prolonga tanto, e tão funda é, que já não é minha solidão mas a Solidão de Deus. Alcancei afinal o momento em que nada existe. Nem um carinho de mim para mim: a solidão é esta a do deserto. O vento como companhia. Ah mas que frio escuro está fazendo. Cubro-me com a melancolia suave, e balanço-me daqui para lá, daqui para lá, daqui para lá. Assim. É! É assim mesmo.

Autor – As palavras de Ângela são antipalavras: vêm de um abstrato lugar nela onde não se pensa, esse lugar escuro, amorfo e gotejante como uma primitiva caverna. Ângela, ao contrário de mim, raramente raciocina: ela só acredita.

Agora, por medo de escrever, deixo-te falar, mesmo inconsequentemente como te criei. Eis-te, no teu doido ininteligível diálogo comigo:

Ângela – Eu, gazela espavorida e borboleta amarela. Eu não passo de uma vírgula na vida. Eu que sou dois pontos. Tu, és a minha exclamação. Eu te respiro-me.
Eu sou oblíqua como o voo dos pássaros. Intimidada, sem forças, sem esperança, sem avisos, sem notícias – tremo – toda trêmula. Me espio de viés.
Que esforço eu faço para ser eu mesma. Luto contra uma maré em nau onde só cabem meus dois pés em frágil equilíbrio ameaçado.
Viver é um ato que não premeditei. Brotei das trevas. Eu só sou válida para mim mesma. Tenho que viver aos poucos, não dá para viver tudo de uma vez. Nos braços de alguém eu morro toda. Eu me transfiguro em energia que tem dentro dela o atômico nuclear. Sou o resultado de ter ouvido uma voz quente no passado e de ter descido do trem quase antes dele parar – a pressa é inimiga da perfeição e foi assim que corri para a cidade perdendo logo a estação e a nova partida do trem e seu momento privilegiado que desperta espanto tão dolorido que é o apito do trem, que é adeus.

Autor – Ei-la falando como se fosse comigo mas fala para o ar e nem sequer para si mesma e só eu aproveito do que ela fala porque ela é de mim para mim.
Ângela é o meu personagem mais quebradiço. Se é que chega a ser personagem: é mais uma demonstração de vida além-escritura como além-vida e além-palavra.
Amo Ângela, porque ela diz o que não tenho coragem de dizer porque temo a mim mesmo? ou porque acho inútil falar? Porque o que se fala se perde como o hálito que sai da boca quando se fala e se perde aquela porção de hálito para sempre.

Ângela – Eu te amo tanto como se sempre estivesse te dizendo adeus. Quando estou só demais, uso guizos ao redor dos tornozelos e dos pulsos. Então quase cada um de meus pensamentos se externam e voltam para mim como respostas. Minha mais tênue energia faz com que eles logo vibrem estremecendo em luz e som. Eu tenho que ser minha amiga, senão não aguento a solidão. Quando estou sozinha procuro não pensar porque tenho medo de de repente pensar uma coisa nova demais para mim mesma. Falar alto sozinha e para "o quê" é dirigir-se ao mundo, é criar uma voz potente que consegue – consegue o quê? A resposta: consegue – consegue o quê? A resposta: consegue o "o quê". "O quê" é o sagrado sacro do universo.

Autor – Eu também não sei não pensar. Acontece sem esforço. Só é difícil quando procuro obter essa escuridão silenciosa. Quando estou distraído, caio na sombra e no oco e no doce e no macio nada-de-mim. Me refresco. E creio. Creio na magia, então. Sei fazer em mim uma atmosfera de milagre. Concentro-me sem visar nenhum objeto – e sinto-me tomado por uma luz. É um milagre gratuito, sem forma e sem sentido – como o ar que profundamente respiro a ponto de ficar tonto por uns instantes. Milagre é o ponto vivo do viver. Quando eu penso, estrago tudo. É por isso que evito pensar: só vou mesmo é indo. E sem perguntas por que e para quê. Se eu penso, uma coisa não se faz, não aconteço. Uma coisa que na certa é livre de ir enquanto não aprisionada pelo pensamento.

Ângela – Tenho profundo prazer em rezar – e entrar em contato íntimo e intenso com a vida misteriosa de Deus. Não há nada no mundo que substitua a alegria de rezar.
    Hoje varri o terraço das plantas. Como é bom mexer nas coisas deste mundo: nas folhas secas, no pólen das coisas (a poeira é filha das coisas). Meu cotidiano é muito enfeitado.
    Estou sendo profundamente feliz.

Autor – Fale, Ângela, fale mesmo sem fazer sentido, fale para que eu não morra completamente.

Ângela – Estou em agonia: quero a mistura colorida, confusa e misteriosa da natureza. Que unidos vegetais e algas, bactérias, invertebrados, peixes, anfíbios, répteis, aves, mamíferos concluindo o homem com os seus segredos.

Ângela – Vou tirar férias de mim e deixar Ângela falar. Se eu um dia for ler essas coisas que estou escrevendo, quero que no buraco negro da noite eu encontre milhares de fogos de artifício mudos mas acompanhados pelos estilhaços de milhares de cristais cantantes. É esta a noite escura que quero um dia encontrar fora de mim e de dentro. Ângela me deu agora um repente de mim e me senti feliz. Felicíssimo, não sei por quê. Aceito? Não, por algum motivo secreto sinto uma grande carga de mal-estar e ansiedade quando atinjo o cume nevado de uma felicidade-luz. Dói no corpo o ar purificado demais.

Ângela tem asas.

Ângela – Eu gosto tanto do que não entendo: quando leio uma coisa que não entendo sinto uma vertigem doce e abismal.

Autor – Quando eu era uma pessoa, e ainda não um rigoroso pleno de palavras, eu era mais incompreendido por mim. Mas era-me aceito na totalidade. Mas a palavra foi aos poucos me desmistificando e me obrigando a não mentir. Eu posso ainda às vezes mentir para os outros. Mas para mim mesmo acabou-se a minha inocência e estou mais em face de uma obscura realidade que eu quase, quase, pego na mão. É uma verdade secreta, sigilosa, e eu às vezes me perco no que ela tem de fugidia. Só valho como descoberta.

Ângela – Eu sou uma atriz para mim. Eu finjo que sou uma determinada pessoa mas na realidade não sou nada.

Autor – Eu pensava que um polídrico de sete pontas se dividisse em sete partes iguais dentro de um círculo. Mas não caibo. Sou de fora. É culpa minha se não tenho acesso a mim mesmo?

Ângela – Não caio na tolice de ser sincera.

Autor – Afinal, Ângela, o que é que você faz?

Ângela – Cuido da vida. A grande noite do mundo quando não havia vida.

Autor – Ângela significa o único ser que ela é: só existe uma Ângela. Nenhum ato meu sou eu. Ângela será o ato que me representará.
  Eu perdi de vista o meu destino. Meu pedido nunca se esgota. Eu peço. O que peço? Isto: a possibilidade de eternamente pedir. Eu não tenho nenhuma missão: vivo porque nasci. E morrerei sem que a morte me simbolize. Fora de mim sou Ângela. Dentro de mim sou anônimo. Viver exige tal audácia. Me sinto perdido como se estivesse dormindo no deserto do Ministério da Fazenda.
  – Ângela, agora estou me dirigindo diretamente a você e peço lhe pelo amor de Deus para você enfim chorar. Queira, por favor, consentir e chore. Porque, quanto a mim, não aguento mais a espera. Dê um grito de dor! Um grito vermelho! E as lágrimas rebentam a comporta e lavam um rosto cansado. Lavam como se fossem orvalho.

Ângela – Sou pura?

Autor – A pureza seria tão violenta quanto a cor branca. Ângela é cor de avelã.

Tenho grande necessidade de viver de muita pobreza de espírito e de não ter luxo de alma. Ângela é luxo e me incomoda. Vou me afastar dela e entrar em mosteiro, isto é, empobrecer. Escolhi hoje para me vestir umas calças muito velhas e uma camisa rasgada. Sinto-me bem em molambos, tenho nostalgia de pobreza. Comi só frutas e ovos, recusei o sangue rico da carne, eu quis comer apenas o que era de nascedouros e provindo sem dor, só brotando nu como o ovo, como a uva.

Esta noite não dormi com minha mulher porque mulher é luxo e luxúria, e faz dois de mim, e eu quero ser apenas para não ser um número divisível por nenhum outro. Bebi água em jejum. E entrei devagar no meu próprio e inestimável e infinito deserto. Quando nesse deserto a penúria fica insuportável – crio Ângela como miragem, ilusão de ótica e de espírito, mas tenho que me abster de Ângela porque ela é riqueza de alma.

Agora me deu vontade de fazer Ângela pintar.

Ângela – Estou pintando um quadro com o nome de "Sem Sentido". São coisas soltas – objetos e seres que não se dizem respeito, como borboleta e máquina de costura.

[*Autor narrando os fatos
da vida de Ângela*]

e U PASSO PELOS FATOS o mais rapidamente possível porque tenho pressa. A meditação secretíssima me espera. Para escrever eu antes me despojo das palavras. Prefiro palavras pobres que restam. Rapidamente dou os traços biográficos de Ângela Pralini: rapidamente porque dados e fatos me chateiam. Vejamos, pois: nasceu no Rio de Janeiro, tem 34 anos, um metro e setenta de altura e é bem-nascida, embora filha de pais pobres. Uniu-se a um industrial etc.

Ângela – Eu sou individual como um passaporte. Eu sou fichada no Félix Pacheco. Devo me orgulhar de pertencer ao mundo ou devo me desconsiderar por?

Autor – Ângela tem um doce olhar adoidado, veludo úmido, pérolas mornas mas castanhas e às vezes duras como duas nozes castanhas. Às vezes tem olhos como os de vaca que está sendo ordenhada. Olhos suados. Abelha coruscante e melíflua que me sobrevoa em busca do meu mel para ocultá-lo em casulo como estava ocultado em mim. Ângela é ainda um casulo fechado, como se eu ainda não tivesse nascido, enquanto eu não abrir em metamorfose, Ângela será minha. Quando eu tiver forças de ficar sozinho e mudo – então soltarei para sempre a borboleta do casulo. E mesmo que só viva um dia, essa borboleta, já me serve: que esvoe suas cores brilhantes sobre o brilho verde das plantas num jardim de manhã de verão. Quando a manhã ainda é cedo, se parece igual a uma borboleta leve. O que há de mais leve que uma borboleta. Borboleta é uma pétala que voa.

Ângela – A dança dos convidados. Irlanda, tu nunca me verás. Malta, de Malta, tu és a prisão. Um dedo sangrento aponta para cima. E eu me lembro do futuro. Neerlandesa – é o que sou. E sou setembro também. A quantidade de frutas que a madame tem. O cachorro à procura do próprio rabo. Acudam! incêndio! E eu sou música de câmara.

Autor – Ângela é uma curva em interminável sinuosa espiral. Eu sou reto, escrevo triangularmente e piramidalmente. Mas o que está dentro da pirâmide – o segredo intocável o perigoso e inviolável – esse é Ângela. O que Ângela escreve pode ser lido em voz alta: suas palavras são voluptuosas e dão prazer físico. Eu sou geométrico. Ângela é espiral de finesse. Ela é intuitiva, eu sou lógico. Ela não tem medo de errar no emprego das palavras. E eu não erro. Bem sei que ela é uva sumarenta e eu sou a passa. Eu sou equilibrado e sensato. Ela está liberta do equilíbrio que para ela é desnecessário. Eu sou controlado, ela não se reprime – eu sofro mais do que ela porque estou preso dentro de uma estreita gaiola de forçada higiene mental. Sofro mais porque não digo porque sofro.

Ângela – E eu não passo de uma promessa. Mas sou estrela. Sinto que sou estrela. Espatifada. Sou caco de vidro no chão.

Autor – Essa mulher é contundente para si própria ela é as pontas agudas de uma estrela. Essas pontas faiscantes me ferem também. Você não sabe viver a partir de um instante-clímax: você o sente mas não é capaz de prolongá-lo em atitude permanente. Você não aprende com ninguém, nem aprende consigo mesma. Respeito você embora você não seja meu igual. E eu sou o meu igual? Eu sou eu? Essa indagação vem do que observo que você não parece saber a si mesma. Você talvez desconheça que tem um centro de si mesma e que é duro como uma noz de onde se irradiam tuas palavras fosforescentes.

Ângela – Falando sério: o que é que eu sou?
Sem resposta.
Então tiro o corpo fora. Sou Strauss ou só Beethoven? Rio ou choro? Eu sou nome. Eis a resposta. É pouco.

De repente eu me vi e vi o mundo. E entendi: o mundo é sempre dos outros. Nunca meu. Sou o pária dos ricos. Os pobres de alma nada armazenam. A vertigem que se tem quando num súbito relâmpago-trovoada se vê o clarão do não entender. EU NÃO ENTENDO! Por medo da loucura, renunciei à verdade. Minhas ideias são inventadas. Eu não me responsabilizo por elas. O mais engraçado é que nunca aprendi a viver. Eu não sei nada. Só sei ir vivendo. Como o meu cachorro. Eu tenho medo do ótimo e do superlativo. Quando começa a ficar muito bom eu ou desconfio ou dou um passo para trás. Se eu desse um passo para a frente eu seria enfocada pelo amarelado de esplendor que quase cega.

Autor – Ângela é o tremor vibrante de uma corda tensa de harpa depois que é tocada: ela fica no ar ainda se dizendo, dizendo – até que a vibração morra espraiando-se em espumas pelas areias. Depois – silêncio e estrelas. Conheço de cor o corpo de Ângela. Só não entendi o que ela quer. Mas dei-lhe tal forma à minha vida que ela me parece mais real do que eu.

Ângela – Minha vida é um grande desastre. É um desencontro cruel, é uma casa vazia. Mas tem um cachorro dentro latindo. E eu – só me resta latir para Deus. Vou voltar para mim mesma. É lá que eu encontro uma menina morta sem pecúlio. Mas uma noite vou à Seção de Cadastro e ponho fogo em tudo e nas identidades das pessoas sem pecúlio. E só então fico tão autônoma que só pararei de escrever depois de morrer. Mas é inútil, o lago azul da eternidade não pega fogo. Eu é que me incineraria até meus ossos. Virarei número e pó. Que assim seja. Amém. Mas protesto. Protesto à toa como um cão na eternidade da Seção de Cadastro.

Autor – Ângela é muito parecida com o meu contrário. Ter dentro de mim o contrário do que sou é em essência imprescindível: não abro mão de minha luta e de minha indecisão e o fracasso – pois sou um grande fracassado – o fracasso me serve de base para eu existir. Se eu fosse um vencedor? morreria de tédio. "Conseguir" não é o meu forte. Alimento-me do que sobra de mim e é pouco. Sobra porém um certo secreto silêncio.

Ângela – Eu só uso o raciocínio como anestésico. Mas para a vida sou diretamente uma perene promessa de entendimento do meu mundo submerso. Agora que existem computadores para quase todo o tipo de procura de soluções intelectuais – volto-me então para o meu rico nada interior. E grito: eu sinto, eu sofro, eu me alegro, eu me comovo. Só o meu enigma me interessa. Mais que tudo, me busco no meu grande vazio.

Procuro me manter isolada contra a agonia de viver dos outros, e essa agonia que lhes parece um jogo de vida e morte mascara uma outra realidade, tão extraordinária essa verdade que os outros cairiam de espanto diante dela, como num escândalo. Enquanto isso, ora estudam, ora trabalham, ora amam, ora crescem, ora se afanam, ora se alegram, ora se entristecem. A vida com letra maiúscula nada pode me dar porque vou confessar que também eu devo ter entrado por um beco sem saída como os outros. Porque noto em mim, não um bocado de fatos, e sim procuro quase tragicamente ser. É uma questão de sobrevivência assim como a de comer carne humana quando não há alimento. Luto não contra os que compram e vendem apartamentos e carros e procuram se casar e ter filhos mas luto com extrema ansiedade por uma novidade de espírito. Cada vez que me sinto quase um pouco iluminada vejo que estou tendo uma novidade de espírito.

Minha vida é um reflexo deformado assim como se deforma num lago ondulante e instável o reflexo de um rosto. Imprecisão trêmula. Como o que acontece com a água quando se mergulha a mão na água. Sou um palidíssimo reflexo de erudição. Minha receptividade se afina registrando sem parar as concepções de outros, refletindo no meu espelho os matizes sutis das distinções entre as coisas da vida. Eu que sou um resultado do verdadeiro milagre dos instintos. Eu sou um terreno pantanoso. Em mim nasce musgo molhado cobrindo pedras escorregadias. Pântano com seus sufocantes miasmas intoleravelmente doces. Pântano borbulhante.

Autor – Tentar possuir Ângela é como tentar desesperadamente agarrar no espelho o reflexo de uma rosa. No entanto bastava eu ficar de costas para o espelho e teria a rosa de per si. Mas aí entra o frígido medo de ser dono de uma realidade estranha e delicada de uma flor.

Ângela – Como contato praticamente permanente com a lógica surgiu-me um sentimento que nunca antes eu experimentara: o medo de viver, o medo de respirar. Com urgência preciso lutar porque esse medo me amarra mais do que o medo da morte, é um crime contra mim mesmo. Estou com saudade de meu anterior clima de aventura e minha estimulante inquietação. Acho que ainda não caí na monotonia de viver. Dei ultimamente para suspirar de repente, suspiros fundos e prolongados.

Autor – Ângela tem um diadema invisível sobre a densa coifa. Gotas brilhantes de notas musicais escorrem-lhe pelos cabelos.

Ângela – Sou extremamente tátil. Grandes aspirações postas em perigo, nas grandes aspirações é inerente o grande risco. Eis um momento de extravagante beleza: bebo-a líquida nas conchas das mãos e quase toda escorre brilhante por entre meus dedos: mas beleza é assim mesmo, ela é um átimo de segundo, rapidez de um clarão e depois logo escapa.

Autor – Sendo Ângela Pralini um pouco desequilibrada eu lhe aconselharia evitar situações de perigo que quebrem a nossa fragilidade. Nada digo a Ângela porque não adiantaria pedir-lhe para que evite temeridades pois nasceu para ser exposta e passar por todas as experiências. Ângela sofre muito mas se redime na dor. É como um parto: é necessário passar pelo crivo da dor para depois aliviar-se vendo à frente uma nova criança no mundo.

Ângela – Mas alguma coisa se quebrou em mim que fiquei com o nervo partido em dois. No começo as extremidades relacionadas com o corte me doeram tanto que fiquei muito pálida de dor e perplexidade. Os lugares partidos foram porém cicatrizando. Até que friamente, eu não me doía. Mudei, sem planejar previamente. Antes eu te olhava de meu de dentro para fora e do dentro de ti, que por amor, eu adivinhava. Depois da cicatrização passei a olhar-te de fora para dentro. E a olhar-me também de fora para dentro: eu me transformara num amontoado de fatos e ações que só tinham raiz no domínio da lógica. A princípio eu não pude me associar a mim mesma. Cadê eu? perguntava-me. E quem respondia era uma estranha que me dizia fria e categoricamente: tu és tu mesma. Aos poucos, à medida que deixei de me procurar fiquei distraída e sem intenção alguma. Eu sou hábil em formar teoria. Eu, que empiricamente vivo. Eu dialogo comigo mesma: exponho e me pergunto sobre o que foi exposto, eu exponho e contesto, faço perguntas a uma audiência invisível e esta me anima com as respostas a prosseguir. Quando eu me olho de fora para dentro eu sou uma casca de árvore e não a árvore. Eu não sentia prazer. Depois que eu recuperei meu contato comigo é que me fecundei e o resultado foi o nascimento alvoroçado de um prazer todo diferente do que chamam prazer.

Autor – Ela vive as diversas fases de um fato ou de um pensamento mas no mais fundo do seu interior é extrassituacional e no ainda mais fundo e inalcançável existe sem palavras, e é só uma atmosfera indizível, intransmissível, inexorável. Livre das velharias científicas e filosóficas.

Ângela –Eu gosto de escadarias.

Autor – O que me encanta em Ângela Pralini é a sua esquivança.

Ângela – A dura rosa de madeira que sou. Mas para me purificar há o pungente miosótis chamado urgentemente mas delicadamente de "não-te-esqueças-de-mim".

Autor – Ângela foi criada por, mas agora cabe a mim me criar um novo homem, como Robinson se criou sua solidão na terra que é sempre estranha.

Ângela – Quanto a mim, ofereço o meu rosto ao vento. Estou com ar de notícia. Humorismo é uma das coisas mais sérias do mundo. E eu que imaginei fazer música de brincadeira.

Autor – Atravessar este livro acompanhando Ângela é delicado como se em caminhada eu levasse na palma em concha de minha mão a gema pura de um ovo sem fazê-la perder seu invisível porém real contorno – invisível, mas há uma pele feita de quase nada circundando a gema leve e mantendo-a sem se romper para continuar a ser uma redonda gema.
Ângela é uma gema, porém com um pequeno pingo negro no amarelo-sol. Isso significa: problema. Além do problema que nós temos ao viver, Ângela acrescenta um: a da escrita compulsiva. Ela acha que parar de escrever é parar de viver. Controlo-a como posso, cortando-lhe as anotações apenas tolas. Por exemplo: ela está doida para escrever sobre a menstruação por puro desabafo, e eu não deixo.

Ângela – Tenho tal tendência à felicidade. Sinto-me esses últimos dias irradiante e radiosa por viver.

Autor – Ângela, você é uma espantada num mundo sempre novo. A hora deste instante nunca será repetida até o fim dos séculos.

Ângela – Eu sou um ser privilegiado porque sou a única no mundo. Eu enovelada de eu.
A música dodecafônica extrai o eu. Ai que não posso mais. Eu que danço doida. Quem me quer assim seja.
Sinos badalam, Orfeu canta. Não me entendo e é bom. Tu me entendes? Não, tu és doido e não me entendes.
Sinos, sinos, sinos.

Autor – Ângela é pessoa que se esgueira da grande cidade.

Ângela – Senti a pulsação da veia em meu pescoço, senti o pulso e o bater do coração e de repente reconheci que tinha um corpo. Pela primeira vez da matéria surgiu a alma. Era a primeira vez que eu era una. Una e grata. Eu me possuía. O espírito possuía o corpo, o corpo latejava ao espírito. Como se estivesse fora de mim, olhei-me e vi-me. Eu era uma mulher feliz. Tão rica que nem precisava mais viver. Vivia de graça.

Autor – Ângela vive numa atmosfera de milagre. Não, não há razão de espanto: o milagre existe: o milagre é uma sensação. Sensação de quê? de milagre. Milagre é uma atitude assim como o girassol vira lentamente sua abundante corola para o sol. O milagre é a simplicidade última de existir. O milagre é o riquíssimo girassol se explodir de caule, corola e raiz – e ser apenas uma semente. Semente que contém o futuro.

Ângela – Andei semeando por aí. Entre a palavra e o pensamento existe o meu ser. Meu pensamento é puro ar impalpável, insaisissable. Minha palavra é de terra. Meu coração é vida. Minha energia eletrônica é mágica de origem divina. Meu símbolo é o amor. Meu ódio é energia atômica.

Tudo o que eu disse agora não vale nada, não passa de espumas.

Padecente.

Faminta e friorenta e humilhada.

Eu te recebo de pés descalços: é esta a minha humildade e esta nudez de pés é a minha ousadia.

Não quero ser somente eu mesma. Quero também ser o que não sou.

Autor – Ângela é a minha fríngia? ou sou eu a fríngia de Ângela? Ângela é meu equívoco? Ângela é minha variação?

Ângela – Eu gosto um pouco de mim porque sou adstringente. E emoliente. E sucupira. E vertiginosa. Estrugida. Sem falar que sou bastante extrógina. Atirei o pau no gato-to--to mas o gato-to... Meu Deus, como sou infeliz. Adeus, Dia, já anoitece. Sou criança de domingo.

Autor – Ângela é uma paixão.

Ângela – Eu me dou melhor comigo mesma quando estou infeliz: há um encontro. Quando me sinto feliz, parece-me que sou outra. Embora outra da mesma. Outra estranhamente alegre, esfuziante, levemente infeliz é mais tranquilo.

Tenho tanta vontade de ser corriqueira e um pouco vulgar e dizer: a esperança é a última que morre.

Autor – Eu queria poder "curá-la" de si própria. Mas sua – "doença"? é mais forte que meu poder, sua doença é a forma de sua vida.

Ângela – Sou a contemporânea de amanhã.
Quando fico sozinha muito tempo, eu de repente me estranho e me assusto e me arrepio toda em mim.
De agora em diante eu quero mais do que entender: eu quero superentender, eu humildemente imploro que esse dom me seja dado. Eu quero entender o próprio entendimento. Eu quero atingir o mais íntimo segredo daquilo que existe. Estou em plena comunhão com o mundo.

Autor – Ângela vive para o futuro. É como se eu não lesse os jornais de hoje porque amanhã haverá notícias mais novas. Ela não vive das lembranças. Ela, como muita gente, inclusive eu, está ocupada em fazer o momento presente deslizar para o momento futuro. Tinha quinze anos quando começou a entender a esperança.

Ângela – Vejo a lâmpada que incandesce. Meu interior é desajeitado. Mas eu me incandesço.

Autor – É uma moça que, apesar de não parecer quebrar a existência do pensamento do presente, pertence mais ao futuro. Para ela cada dia tem o futuro do amanhã. Cada momento do dia se futuriza para o momento seguinte em nuances, gradações, paulatino acréscimo de sutis qualificações da sensibilidade. Às vezes ela perde a coragem, desanima diante da constante mutabilidade da vida. Ela coexiste com o tempo.

Ângela – Meu ideal seria pintar um quadro de um quadro.

Vivo tão atribulada que não aperfeiçoei mais o que inventei em matéria de pintura. Ou pelo menos nunca ouvi falar desse modo de pintar: consiste em pegar uma tela de madeira – pinho-de-riga é a melhor – e prestar atenção às suas nervuras. De súbito, então vem do subconsciente uma onda de criatividade e a gente se joga nas nervuras acompanhando-as um pouco – mas mantendo a liberdade. Fiz um quadro que saiu assim: um vigoroso cavalo com longa e vasta cabeleira loura no meio de estalactites de uma gruta. É um modo genérico de pintar. E, inclusive, não se precisa saber pintar: qualquer pessoa, contanto que não seja inibida demais, pode seguir essa técnica de liberdade. E todos os mortais têm subconsciente. Ah, meu Deus, tenho esperança adiada. O futuro é um passado que ainda não se realizou.

Você de repente não estranha de ser você?

Eu não sou uma sonhadora. Só devaneio para alcançar a realidade.

Autor – Ela, que é cheia de oportunidades perdidas.

Seu verdadeiro ar é tão secreto. A trama levíssima de uma teia de aranha. Tudo nela se organiza em torno de um enigma intangível em seu núcleo mais íntimo.

Ângela – Meu enorme desperdício de mim mesma. Ainda assim estou farta e gostaria de escoar ainda mais meus tesouros guardados na arca.

Onde está minha corrente de energia? Meu sentido de descoberta: mesmo que assumisse forma obscura. Eu sempre esperava alguma coisa nova de mim, eu era um frisson de espera: algo estava sempre vindo de mim ou de fora de mim.

É que eu sou endêmica.

Não aguento muito tempo um sentimento porque passo a ter angústia e meu pensamento fica ocupado com o sentimento e eu me desvencilho dele de qualquer jeito para ganhar de novo a minha liberdade de espírito. Sou livre para sentir. Quero ser livre para raciocinar. Aspiro a uma fusão de corpo e alma.

Não consigo compreender para os outros. Só na desordem de meus sentimentos é que compreendo para mim mesma e é tão incompreensível o que eu sinto que me calo e medito sobre o nada.

Autor – A diferença entre a imaginação livre e a imaginação libertina – a diferença entre intimidade e promiscuidade. Eu (que tenho como emprego de ganhar dinheiro a profissão de juiz: inocente ou culpado?) procuro neutralizar o hábito de julgamento porque não aguento o papel divino de decidir. Libero Ângela, não a julgo – deixo ela ser.

Ângela – Eu mal entrei em mim e assustada já quero sair. Eu descubro que estou além da voracidade. Sou um ímpeto partido no meio.

Mas de vez em quando vou para um impessoal hotel, sozinha, sem nada o que fazer, para ficar nua e sem função. Pensar é ter função?

Ao pensar verdadeiramente eu me esvazio.

Sozinha no quarto do hotel, eu como a comida com bruta e grossa satisfação. Por um momento é verdadeira satisfação – mas logo se instala.

E então vou para o meu castelo. Vou à minha preciosa solidão. Ao recolhimento. Estou toda desconjuntada. Mas já começo a perceber um brilho no ar. Um sortilégio. Minha sala é um sorriso. Nela existem vitrais. As cores são vermelho-catedral, verde-esmeralda, amarelo-sol e azulão. E meu quarto é de monge sensual.

Aqui há ventanias de noite. E de vez em quando as janelas batem – como em histórias de fantasmas.

Estou esperando chuva. Quando chover quero que caia sobre mim, abundantemente. Abrirei a janela de meu quarto e receberei nua a água do céu. Jardins e jardins entremeados de acordes musicais. Iridescência ensanguentada. Vejo meu rosto através da chuva. Rebuliço estrídulo do vento agudo que varre a casa como se esta estivesse oca de móveis e de pessoas. Está chovendo. Sinto a boa chuvarada de verão. Tenho uma cabana também – às vezes não ficarei no palácio, mergulharei na cabana. Sentindo o cheiro do mato. E fruindo da solidão.

A prova de que estou recuperando a saúde mental, é que estou cada minuto mais permissiva: eu me permito mais liberdade e mais experiências. E aceito o acaso. Anseio pelo que ainda não experimentei. Maior espaço psíquico. Estou felizmente mais doida. E minha ignorância aumenta. A diferença entre o doido e o não doido é que o não doido não diz nem faz as coisas que pensa. Será que a polícia me pega? Me pega porque existo? paga-se com prisão a vida: palavra linda, orgânica, sestrosa, pleonástica, espérmica, duróbila.

Ah, já sei o que sou: sou uma escriba. Help me! fogo! incêndio. Escrever pode tornar a pessoa louca. Ela tem que levar uma vida pacata, bem acomodada, bem burguesa. Senão a loucura vem. É perigoso. É preciso calar a boca e nada contar sobre o que se sabe e o que se sabe é tanto, e é tão glorioso. Eu sei, por exemplo, Deus. E recebo mensagens de mim para si mesma.

Eu sei criar silêncio. É assim: ligo o rádio bem alto – então de súbito desligo. E assim capto o silêncio. Silêncio estelar. O silêncio da lua muda. Para tudo: criei o silêncio. No silêncio é que mais se ouvem os ruídos. Entre as marteladas eu ouvia o silêncio. Tenho medo de minha liberdade. Minha liberdade é vermelha! Quero que me prendam. Oh chega de decepções, estou tão machucada, me doem a nuca, a boca, os tornozelos, fui chicoteada nos rins – para que quero meu corpo? para que serve ele? só para apanhar? Bofetada em pleno rosto que é túmido e fresco. Refugio-me nas rosas, nas palavras. Pobre consolação. Estou inflacionada. Não valho nada.

Fui interrompida pelo silêncio da noite. O silêncio espaçoso me interrompe, me deixa o corpo num feixe de atenção intensa e muda. Fico à espreita de nada. O silêncio não é o vazio, é a plenitude.

Li o que havia escrito e de novo pensei: de que abismos violentos se alimenta a minha mais íntima intimidade, para que ela se negue a si mesma de tal forma e fuja para o domínio das ideias? Sinto em mim uma violência subterrânea, violência que só vem à tona no ato de escrever.

Autor – Eu não escrevo como Ângela. Não só não tenho prática como sou mais sóbrio, não me derramo escandalosamente. E não uso adjetivos senão raramente.

Ângela é um cachorro vadio atravessando o deserto das ruas. Ângela, nobre cão vira-lata, segue a trilha do seu dono, que sou eu. Mas muitas vezes descarrilha e se dirige em vagabundagem livre para nenhum lugar. Nesse nenhum lugar eu a deixo, já que ela tanto quer. E se encontrar o inferno em vida será ela própria a responsável por tudo. Se quiser seguir então me siga porque assim sou eu que mando e controlo. Mas não adianta mandar: essa criatura frívola que ama brilhantes e pérolas me escapa como escapa a ênfase indizível de um sonho. Difícil de descrever Ângela: ela é apenas uma atmosfera, ela é apenas um jeito de ser, é um revelador trejeito de boca mas revelador de quê? de algo que eu não conhecia nela e que agora, sem descrição possível, passo a apenas conhecer, só isto. Ela me sopra em sussurros o que ela é e, se não a ouço por falta de acuidade minha, perco-lhe a pessoa.

Se Ângela é uma suicida em potencial, como terminei por entender, faço-a suicidar-se? Não. Não tenho coragem: sua vida me é muito preciosa. Só que ela tem gosto pelo risco e eu também.

Ângela – Eu desmaio à toa.
Na última vez foi questão de segundo. Caio felizmente na cama e eis o vazio, e logo depois eu dizia a mim mesma: não foi nada, já passou. Alô! Alô! Picasso! Vem me ver, por favor especial. Sou um pinto depenado.
Mas que foguete! Comemorando o quê? pergunto eu.
Eu me olho de fora para dentro e vejo: nada. Meu cachorro está inquieto. Há alguma coisa no ar. Uma transmissão de pensamentos. Por que as pessoas quando falam não me olham? Olham sempre para outra pessoa. Eu me ressinto. Mas Deus me olha bem na menina de meus olhos. E eu o encaro de frente. Ele é o meu pai-mãe-mãe-pai. E eu sou eles. Acho que em breve vou ver Deus. Vai ser O Encontro. Pois eu me arrisco.

Autor – Ângela mexe na minha fauna e me inquieta. Depende de mim o seu destino? Ou já estava bastante desligada de meu sopro a ponto de continuar-se a si mesma? Quando penso que eu poderia fazer com que ela morresse, estremeço todo.

Ângela – Eu faço perguntas por nervosismo. Consternada. E os tornozelos? são muito importantes?
Nenhuma resposta ouço à minha pergunta. Que Deus proteja meus tornozelos. E minha nuca. São lugares essenciais em mim.
Nunca dei certo escrevendo. Os outros são intelectuais e eu mal sei pronunciar meu lindo nome: Ângela Pralini. Uma Ângela Pralini? a infeliz, a que já sofreu muito. Sou

como estrangeiro em qualquer parte do mundo. Eu sou do nunca. Quando pequena eu rodava, rodava e rodava em torno de mim mesma até ficar tonta e cair. Cair não era bom mas a tonteira era deliciosa. Ficar tonta era o meu vício. Adulta eu rodo mas quando fico tonta aproveito de seus poucos instantes para voar. Acho que loucura é perfeição. É como enxergar. Ver é a pura loucura do corpo. Letargia. A sensibilidade trêmula tornando tudo ao redor mais sensível e tornando visível, com um pequeno susto e impalpável. Às vezes acontece um desequilíbrio equilibrado assim como uma gangorra que ora está no alto ora está no baixo. E o desequilíbrio da gangorra é exatamente o seu equilíbrio.

Autor – Ângela é orgânica. Ela não é estanque. E é o meu impasse. Além dela que mal vejo, além dela começa o que não sei dizer.

Ângela – Acordei hoje com tal nostalgia de ser feliz. Eu nunca fui livre na minha vida inteira. Por dentro eu sempre me persegui. Eu me tornei intolerável para mim mesma. Vivo numa dualidade dilacerante. Eu tenho uma aparente liberdade mas estou presa dentro de mim. Eu queria uma liberdade olímpica. Mas essa liberdade só é concedida aos seres imateriais. Enquanto eu tiver corpo ele me submeterá às suas exigências. Vejo a liberdade como uma forma de beleza e essa beleza me falta.

Autor – Ela ignora que é autossuficiente até certo grau. Então depende do outro com arritmia e não consegue jamais a completa dependência que seria a entrega de si mesma, o abandono da alma.

Ângela – Minhas raízes estão na terra e dela me ergo desnuda.
Cachoeira – queda-d'água.
Quero um grande painel heroico – em que eu literalmente me es-pa-lhe. Preciso de grandeza e de cheiro de capim. Saio dos meus abismos com as mãos cheias de frias esmeraldas, transparentes topázios e orquidáceas safiras. Sou uma vibrante clarinetada de cristal.

Autor – Bem que tento escrever o que acontece com Ângela. De nada adianta: Ângela é apenas um significado. Significado solto? Ela é as palavras que esqueci.

Ângela – Eu sou impessoal até na amizade, até no amor.
Eu sou uma S.A. Parêntese que não se fecha. Por favor me feche.
Cada ser é um outro ser, indubitavelmente uno embora quebradiço, impressões digitais únicas ad secula seculorum.

Autor – Está sempre numa situação pelo menos de semicrise. Ela aplica intensidade ao que não a merece. A tudo empresta uma paixão que exorbita do motivo da paixão. E a frivolidade se manifesta ao dar importância às espumas da vida. Uma vez uma coisa alcançada, ela não a deseja mais. Agarrar o momento é uma sincronia dela e do tempo: sem precipitação mas sem demora. Um presente infinito que não se inclina sobre o passado nem se projeta para o futuro. É por isso que ela vive tanto. Sua vida "não muda de assunto", não é interrompida por vida imaginária. Vida imaginária é viver do passado ou para o futuro. O presente traz-lhe dores. Mas esse presente altamente inexorável projeta uma sombra onde ela pode se retemperar, o repouso da guerreira. Crise emocional. Ela não consegue adaptar-se ao ser humano. Como se existissem outros seres, além dos animais.

Ângela – Oh doce mistério animal. Oh alegria mansa. Que fascínio. Mas que fascínio tremendo é esse desafio da besta! Oh doce martírio de não saber falar e sim apenas latir. Você é quem me pergunta se é doce morrer. Eu também não sei se é doce morrer. Até agora só conheço a morte do sono. Vivo me matando todas as noites.

Ter contato com a vida animal é indispensável à minha saúde psíquica. Meu cão me revigora toda. Sem falar que dorme às vezes aos meus pés enchendo o quarto da cálida vida úmida. O meu cão me ensina a viver. Ele só fica "sendo". "Ser" é a sua atividade. E ser é minha mais profunda intimidade. Quando ele adormece no meu colo eu o velo e à sua bem ritmada respiração. E – ele imóvel ao meu colo – formamos um só todo orgânico, viva estátua muda. É quando sou lua e sou os ventos da noite. Às vezes, de tanta vida mútua, nós nos incomodamos. Meu cachorro é tão cachorro como um homem é tão homem. Amo a cachorrice e a humanidade cálida dos dois.

O cão é um bicho misterioso porque ele quase que pensa, sem falar que sente tudo menos a noção do futuro. O cavalo, a menos que seja alado, tem seu mistério resolvido em nobreza e o tigre é um grau mais misterioso do que o cão porque seu jeito é mais primitivo ainda.

O cão – este ser incompreendido que faz o possível para participar aos homens o que ele é....

Autor – O cachorro de Ângela parece ter uma pessoa dentro dele. Ele é uma pessoa trancada por uma condição cruel. O cachorro tem tanta fome de gente e de ser um homem. É excruciante a falta de conversa de um cachorro. Se eu pudesse descrever a vida interior de um cachorro eu teria atingido um cume. Ângela também quer entrar no ser-vivo de seu Ulisses. Fui eu que lhe transmiti esse amor por animais.

Ângela – Oh Deus, e eu que faço concorrência a mim mesma. Me detesto. Felizmente os outros gostam de mim, é uma tranquilidade. Eu e meu cachorro Ulisses somos vira-latas. Ah que chuva boa que está caindo. É maná do céu e só Ulisses também sabe disso. Ulisses bebe cerveja gelada tão bonitinho. Um dia desses vai acontecer: meu cachorro vai abrir a boca e falar. Será a glória. Ulisses é Malta, é Amapá – fica no fim do mundo. Como é que se vai até lá? Ele late quadrado – não sei se dá para entender o que quero dizer. Na copa do mundo o bicho endoideceu com os foguetes. E minha cabeça ficou toda quadrada. Procuro entender meu cão. Ele é o único inocente.

Eu sei falar uma língua que só o meu cachorro, o prezado Ulisses, meu caro senhor, entende. É assim: dacobela, tutiban, ziticoba, letuban. Joju leba, leba jan? Tutiban leba, lebajan. Atotoquina, zefiram. Jetobabe? Jetoban. Isso quer dizer uma coisa que nem o imperador da China entenderia.

Uma vez ele fez uma coisa inesperada. E eu bem merecia. Fui fazer um carinho nele, ele rosnou. E cometi o erro de insistir. Ele deu um pulo que veio de suas profundezas selvagens de lobo e mordeu-me a boca. Assustei-me, tive que ir ao pronto-socorro onde deram-me dezesseis pontos. Disseram-me que desse Ulisses para alguém pois ele representava um perigo. Mas acontece que, depois do acidente, uni-me ainda mais a ele. Talvez porque eu sofri por ele.

O sofrimento por um ser aprofunda o coração dentro do coração.

Autor – Eu e Ângela somos o meu diálogo interior – eu converso comigo mesmo. Estou cansado de pensar as mesmas coisas.

Ângela – É tão ótimo e reconfortante um encontro para as quatro da tarde. Quatro horas são do dia as melhoras horas. As quatro dão equilíbrio e uma serena estabilidade, um tranquilo gosto de viver. Às vezes quase um pouco esfuziante e em "tremolo". Então me torno esvoaçante, iridescente e levemente excitada.

Autor – Tenho que perdoar Ângela, mais uma vez, por esse negócio de hora boa dos dias. Tenho que desculpar suas tolices porque ela conhece humildemente o seu lugar: sabe que não é dos chamados e muito menos dos escolhidos. Sabe que uma única vez será chamada e eleita. Quando a Morte quiser. Ângela gostaria que não. Mas, quanto a mim, já estou preparado e quase pronto para ser chamado. Noto-o pelo descaso que sinto pelas coisas e mesmo pelo ato de escrever. Poucas coisas me valem ainda.

Ângela – Comprei um vestido de gaze preta com esparsas flores de tom morto como se houvesse um véu em cima delas apagando-as. O vestido todo parece tocado numa harpa. Sinto-me voar nele, livre da lei da gravidade. Estou esgarçada e leve como se da negra África eu ressurgisse e me erguesse branca e pálida.
O negro não é uma cor, é a ausência de cor.

Autor – Ângela está descambando. Que me interessa a roupa que comprou? Ela é às vezes uma valsa austríaca.

E quando fala em Deus muda para Bach. Além disso, está viciada no hábito de possuir. Possuir para ela se confunde com viver. Assim é que um vestido pode enriquecer sua alma. Alma pobre. Ela é vulgar. Mas tem um encanto: é um cântaro de onde borbulha água fresca.

Ângela – Estou sofrendo de amor feliz. Só aparentemente é que isso é contraditório. Quando se sente amor, tem-se uma funda ansiedade. É como se eu risse e chorasse ao mesmo tempo. Sem falar no medo que essa felicidade não dure. Preciso ser livre – não aguento a escravidão do amor grande, o amor não me prende tanto. Não posso me submeter à pressão do mais forte.
Onde está minha corrente de energia? meu sentido de descoberta, embora esta assuma forma obscura? Eu sempre espero alguma coisa nova de mim, eu sou um frisson de espera – algo está sempre vindo de mim ou de fora de mim.

Autor – Quando dá uma crise de "mulherice" em Ângela, ela espia o mundo pelo buraco da fechadura da cozinha. Ela ambiciona viver numa voragem de felicidade. Teimosa sem acreditar na vida. Quero saber se uma pessoa pode determinar assim: hoje vai ser um dia importante na minha vida. E concentrar-se tanto que o sol saia de sua alma e as galáxias rodopiem lentas e mudas.
O drama de Ângela é o drama de todos: equilibrar-se no instável. Pois tudo pode acontecer e danificar a vida mais íntima da pessoa. O que é que terá sido feito à minha alma no ano que vem? Essa alma terá crescido? e crescido tranquilamente ou através da dor de duvidar?

Ângela – Um tiro no meio da noite.
Ouço de repente um tiro. Ou foi um pneu que estourou? Alguém morreu? Que mistério, santo Deus. É como se

tivessem atirado em mim no pleno meio de meu pobre coração.

Aliás, pobre coisa alguma! Meu coração é rico e bate bem as horas de minha vida. Paciência da aranha formando a teia. Ademais fico perturbada por enxergar mal no claro-escuro da criação. Fico assustadiça com o relâmpago da inspiração. Eu sou medo puro.

Autor – Eu gostaria de expor Ângela a uma música de terror. A música teria intervalos de terrível silêncio com aqui e ali pingos de flauta. Então uma voz de contralto de repente e com extrema suavidade cantarolava com boca fechada excessivamente calma e segura de si: como numa ameaça que se faz quando se tem certeza de possuir as armas mortíferas. Ângela iria se esconder embaixo das cobertas, abraçando o seu cachorro Ulisses. Tenho um pouco de ciúme de Ulisses. Ângela lhe dá muita importância. E não parece estar grata por eu tê-la inventado. Aí me vingo com a tal música de terror: uma nota porém repetida, repetida, repetida até quase a loucura. Ângela tem medo da loucura e acha-se estranha. Eu também me acho um pouco estranho mas não tenho medo da loucura: ouso uma lucidez gélida. Vejo tudo, ouço tudo, sinto tudo. E me mantenho fora de ambientes intelectualizados que me confundiriam. Sou sozinho no mundo. Ângela é a minha companheira única. É preciso que me compreendam: eu tive que inventar um ser que fosse todo meu. Acontece porém que ela está ganhando força demais.

Ângela – Eu raramente grito. Quando grito é um grito vermelho e esmeralda. Mas em geral eu sussurro. Falo baixinho para timidamente dizer. Dizer é muito importante. Dizer a verdade que se encobre de mentiras. Quantas vezes eu minto, meu Deus. Mas é para me salvar. Mentira também é uma verdade, só que sonsa e meio nervosa. Minta quem puder, e que minta com paz de espírito. Porque a verdade exige longa escadaria a subir como se eu fosse uma condenada a nunca parar. Estou cansada: é por isso também que falo baixo – é para não me ofender.

Autor – Sou um escritor enredado e perdido. Escrever é difícil porque toca nas raias do impossível.
Estou cheio de personagens na cabeça mas só Ângela ocupa meu espaço mental.

Ângela – Fazia um frio intenso sem agasalho possível. E o chofer do táxi amarelo estava muito gripado. Esqueci de dizer que, ao saltar do primeiro táxi, em plena Avenida Rio Branco, me chamaram aos gritos: olhei e vi tudo o que era meu exposto sem sangue no asfalto da rua. E pessoas me ajudavam no meio do trânsito a recolher os meus segredos. É que minha bolsa se havia aberto e desventrado: as suas entranhas e minhas preces espezinhadas no chão. Recolhi tudo e fiquei humilde e digna à espera não sei de quê. E enquanto esperava apareceu uma mulher magra que me abordou assim, para meu espanto: desculpe eu lhe perguntar, mas onde é que a senhora comprou este lindo xale verde? Fiquei estarrecida, e lhe disse derrotada: não me lembro mais. Estavam me acontecendo pequenos fatos insólitos, e eu à mercê deles.

Autor – Ângela está sempre por se fazer. Ângela é minha aventura. Aliás eu sou a minha grande aventura: arrisco-me em todos os instantes. Mas existe uma aventura maior: o Deus, não me arrisco.

Ângela – Continuei a andar pela cidade à toa. Na praça quem dá milho aos pombos são as prostitutas e os vagabun-

dos – filhos de Deus mais do que eu. Eu dou milho para você, meu amor. Eu, prostituta e vagabunda. Mas com honra, minha gente, com minha homenagem aos pombos. Que vontade de fazer uma coisa errada. O erro é apaixonante. Vou pecar. Vou confessar uma coisa; às vezes, só por brincadeira, minto. Não sou nada do que vocês pensam. Mas respeito a veracidade: sou pura de pecados.
Música de órgão é demoníaca. Quero minha vida acompanhada, como com irmãs gêmeas, de música de órgão. Só que dá medo. Música funeral? Não sei bem, estou um pouco fora de órbita.
Hoje matei um mosquito. Com a mais bruta das delicadezas. Por quê? Por que matar o que vive? Sinto-me uma assassina e uma culpada. E nunca mais vou esquecer esse mosquito. Cujo destino eu tracei. A grande matadora. Eu, como um guindaste, a lidar com um delicadíssimo átomo. Me perdoe, mosquitinho, me perdoe, não faço mais isso.
Acho que devemos fazer coisa proibida – senão sufocamos. Mas sem sentimento de culpa e sim como aviso de que somos livres.
Eu sou o meu próprio espelho. E vivo de achados e perdidos. É o que me salva. Estou metida numa guerra invisível entre perigos. Quem vence? Eu sempre perco.

Autor – Ângela é muito provisória.

Ângela – Eu não chego a me compreender não.
É fumaça nos meus olhos, é telefone ocupado, é unha quebrada no meio, risco de giz no quadro-negro, é nariz entupido, é fruta de repente podre, é cisco no olho, é pontapé no traseiro, é pisadela no calo do pé, é alfinete furando o dedo delicado, é injeção de Novocaína, é cusparada no meu rosto.
Sou uma atriz perfeita.

Autor – Gazela doida que é.

Ângela – A minha intimidade? Ela é máquina de escrever. Sinto um gosto bom na boca quando penso.

Autor – Ela é animal de porte. Eu quero a tua verdade Ângela! Apenas isto: a tua verdade que não consigo captar.

Ângela – Adoro meus pés: eles me cumprem. E sem duvidar. O motivo básico de minha vida é que em certa hora sou guiada por uma grande fome. Isso me explica. Sou indireta. Sou uma pessoa que é de repente e fico meio desesperada quando penso no impossível. Por exemplo: jamais conseguirei que o imperador do Japão me telefone. Eu poderia estar morrendo e ele não me telefonaria. Ou então: como localizar uma pessoa que não está em casa? O impossível me submete. Feneço. Só no domingo passado à noite – sozinha com o meu cachorro – é que meu corpo se juntou a meu corpo. E eu então fui. Fui eu.

Estou com fome e triste. É bom ficar um pouco triste. É um sentimento de doçura. E é bom ter fome e comer.

A mais bela música do mundo é o silêncio interestelar.

Desculpe, mas não posso ficar sozinha contigo senão nasce uma estrela no ar. Quem ama a solidão não ama a liberdade.

Flor? flor dá cada susto. O silêncio perfeito de uma flor. Macio como quando se fecha a luz para dormir. E faz o botão da luz um barulhinho que quer dizer: boa noite meu amor.

Ah, estou com desejo! quero comer salmão e tomar café. E bolo de trigo. Tudo não passa de uma grande comédia com ar de quermesse. Quero participar da festa dos animais. Nas sombras o jardim rumorejante. O jardim cúmplice. Esconderijo de pardais. Sigilo. O jardim harpejado... Intumescência criadora.

Fiquei sozinha um domingo inteiro. Não telefonei para ninguém e ninguém me telefonou. Estava totalmente só. Fiquei sentada num sofá com o pensamento livre. Mas no decorrer desse dia até a hora de dormir tive umas três vezes um súbito reconhecimento de mim mesma e do mundo que me assombrou e me fez mergulhar em profundezas obscuras de onde saí para uma luz de ouro. Era o encontro do eu com o eu. A solidão é um luxo.

Autor – Eu te procurei em dicionários e não encontrei teu significado. Onde está teu sinônimo no mundo? onde está o meu sinônimo na vida? Sou ímpar.

Ângela – Falta uma nota precisa de classicismo heroico em certa música moderna.

Autor – Falta a você uma prodigalidade, falta-lhe dar aos outros um tratamento mais liberal. Você é ao pé da letra.

Ângela – Pensei uma coisa tão bonita que até nem compreendi. E terminei esquecendo o que era.

Autor – Eu te amo geometricamente e ponto zero no horizonte formando triângulo contigo. O resultado é um perfume de rosas maceradas.

Ângela – Dor? Alegria? Só é simplesmente questão de opinião.
Eu adivinho coisas que não têm nome e que talvez nunca terão. É. Eu sinto o que me será sempre inacessível. É. Mas eu sei tudo. Tudo o que sei sem propriamente saber não tem sinônimo no mundo da fala mas enriquece e me justifica. Embora a palavra eu a perdi porque tentei falá-la.

E saber-tudo-sem saber é um perpétuo esquecimento que vem e vai como as ondas do mar que avançam e recuam na areia da praia. Civilizar minha vida é expulsar-me de mim. Civilizar minha existência a mais profunda seria tentar expulsar a minha natureza e a supernatureza. Tudo isso no entanto não fala de meu possível significado. O que me mata é o cotidiano. Eu queria só exceções. Estou perdida: eu não tenho hábitos.

Autor – Ângela tem toda a iluminação feérica – e ao mesmo tempo que se habitua lenta e muda e majestosa e delicadíssima e fatal – em ser mulher – é modesta demais para sê-lo, é fugaz demais para ser definida. Ela me contou que na rua dirigiu-se a um guarda – e explicou que assim fez porque ele devia saber das coisas e ainda por cima estava armado, o que infunde respeito a ela. Falou assim para o guarda: o senhor pode me informar, por obséquio, quando começa a primavera?

Ângela é doida. Mas tem uma lógica matemática na sua aparente doidice. E se diverte muito, a escandalosa. Aguça-se demais e depois não sabe o que fazer de si. Que se dane. Entre o "sim" e o "não" só há um caminho: escolher. Ângela escolheu "sim". Ela é tão livre que um dia será presa. "Presa por quê?" "Por excesso de liberdade". "Mas essa liberdade é inocente?" "É". "Até mesmo ingênua". "Então por que a prisão"? "Porque a liberdade ofende".

Queria defender Ângela com fortes guardas militares suíços, tão pecaminosa ela é, tanto ela se desperdiça à toa. No entanto é alegre como uma marcha militar.

Ângela – Eu sou uma "atriz", apareço, digo o que sei e saio do palco. Que mais pode querer uma pessoa rica e dona de uma mecânica inteligente alta como a de um supercomputador?

Autor – Estou cuidando demais da vida de Ângela e esquecendo a minha. Virei uma abstração de mim mesmo: sou um signo, eu simbolizo alguma coisa que existe mais do que eu, eu sou o tipo dos sem tipos.

Ângela – Presença de príncipes, amazonas, vikings, atlântidas, duendes, faunos, gnomos, mães, prostitutas, gigantes, todos de boca pintada de preto e unhas verdes. Raízes retorcidas e contorcidas, expostas, imobilização da dor de terem crescido.

Autor – Ela vê às vezes a realidade, uma realidade mais inventada e que nunca se aproxima da verdade, como se esta toda nua a assustasse. Ela é um superlativo. Faz de conta que é feliz, mas às vezes essa felicidade a faz ficar desassossegada.

Ângela – Eu venho de uma longa saudade. Eu, a quem elogiam e adoram. Mas ninguém quer nada comigo. Meu fôlego de sete gatos amedronta os que poderiam vir. Com exceção de uns poucos, todos têm medo de mim como se eu mordesse. Nem eu nem Ulisses mordemos. Somos mansos e alegres, e às vezes latimos de raiva ou de espanto. Eu escondo de mim o meu fracasso. Desisto. E tristemente coleciono frases de amor. Em português é "eu te amo". Em francês – "je t'aime". Em inglês – "I love you". Em italiano – "io t'amo". Em espanhol – "yo te quiero". Em alemão – "Ich liebe dich", está certo? Logo eu, a mal-amada. A grande decepcionada, a que cada noite experimenta a doçura da morte.

Eu me sinto uma charlatã. Por quê? É como se minha última veracidade eu não revelasse. Então tenho que tirar a roupa e ficar nua na rua. Isso não é tão difícil. Mas o difícil é ficar com a alma nua. Entrego-me a Deus então. E rezo muito para que me seja dada a proteção. Sou do outro planeta? que sou eu? a humílima das humílimas que se prostra ao chão e encosta a boca entreaberta na terra a chupar-lhe o seu sangue. Oh terra, mas que cheiro de capim molhado. Como é confortante. E eu também me dispo no mar. Será que vou ter fim trágico? Oh por favor me poupem. Por favor: é que eu sou frágil. Que me espera quando eu morrer? Eu já sei: quando eu morrer vou límpida como jade.

Autor – Ângela tem medo de viajar por receio de perder o seu eu numa viagem. Ela precisa de pelo menos por um minuto para pegar a si mesma em flagrante. Pegar o vivo e tirar o seu imóvel retrato e olhar-se no retrato e pensar que o flagrante deixou uma prova, a desse retrato já morto.

Ângela – De súbito a estranheza. Estranho-me como se uma câmera de cinema estivesse filmando meus passos e parasse de súbito, deixando-me imóvel no meio de um gesto: presa em flagrante. Eu? Eu sou aquela que sou eu? Mas isto é um doido faltar de sentido! Parte de mim é mecânica e automática – é neurovegetativa, é o equilíbrio entre não querer e o querer, do não poder e de poder, tudo isso deslizando em plena rotina do mecanicismo. A câmera fotográfica singularizou o instante. E eis que automaticamente saí de mim para me captar tonta de meu enigma, diante de mim, que é insólito e estarrecedor por ser extremamente verdadeiro, profundamente vida nua amalgamada na minha identidade. E esse encontro da vida com a minha identidade forma um minúsculo diamante inquebrável e radioso indivisível, um único átomo e eu toda sinto o corpo dormente como quando se fica muito tempo na mesma posição e a perna de repente fica "esquecida". Eu sou nostálgica demais, pareço ter perdido uma coisa não se sabe onde e quando.

aUTOR. – Escreverei aqui em direção ao ar e sem responder a nada pois sou livre. Eu – eu que existo. Existe uma volúpia em ser gente. Não sou mais silêncio. Sinto-me tão impotente ao viver – vida que resume todos os contrários díspares e desafinados numa única e feroz atitude: a raiva. Cheguei finalmente ao nada. E na minha satisfação de ter alcançado em mim o mínimo de existência, apenas a necessária respiração – então estou livre. Só me resta inventar. Mas aviso-me logo: eu sou incômodo. Incômodo para mim mesmo. Sinto-me desconfortável neste corpo que é bagagem minha. Mas esse desconforto é que é o primeiro passo para a minha – para minha o quê? verdade? Eu lá tenho verdade? Eu não digo nada assim como a música verdadeira. Não diz palavras. Não tenho nenhuma saudade de mim – o que já fui não mais me interessa! E se eu falar, que eu me permita ser descontínuo: não tenho compromisso comigo. Eu vou me acumulando, me acumulando, me acumulando – até que não caibo em mim e estouro em palavras. Quando eu escrevo, misturo uma tinta a outra, e nasce uma nova cor.

Quero esquecer que jamais esqueci. Quero esquecer elogios e os apupos. Quero me reinaugurar. E para isso tenho que abdicar de toda a minha obra e começar humildemente, sem endeusamento, de um começo em que não haja resquícios de qualquer hábito, cacoetes ou habilidades. O know-how eu tenho que pôr de lado. Para isso eu me exponho a um novo tipo de ficção, que eu nem sei ainda como manejar.

O principal a que eu quero chegar é surpreender-me a mim mesmo com o que escrevo. Ser tomado de assalto: estremecer diante do que nunca foi dito por mim. Voar baixo para não esquecer o chão. Voar alto e selvagemente para soltar as minhas grandes asas. Até agora parece-me que eu não voei grande. Este livro, estou desconfiado, também não me fará voar apesar do desejo. Porque não se decide nessa matéria, nessa matéria vale o que acontece quando vindo do nada. Mas o pior é que já está gasto o pensamento da palavra. Cada palavra solta é um pensamento grudado a ela como unha e carne.

Ângela – Eu sou o atrás do pensamento. Escrevo no estado de sonolência, apenas um leve contato do que estou vivendo em mim mesma e também uma vida inter-relacional. Ajo como uma sonâmbula. No dia seguinte não reconheço o que escrevi. Só reconheço a própria caligrafia. E acho certo encanto na liberdade das frases, sem ligar muito para uma aparente desconexão. As frases não têm interferência de tempo. Podiam acontecer tanto no século passado como no século futuro, com pequenas variações superficiais.

A individualidade minha estará morta?

Autor – Tudo se passa num sonho de acordado: a vida real é um sonho. Eu não preciso me "entender". Que vagamente eu me sinta, já me basta. Quando eu penso sem nenhum pensamento – a isto chamo de meditação. E é tão profunda que eu não alcanço e desaparecem as palavras, as manifestações. Eu medito, e o que sai dessa meditação nada tem que ver com a meditação: vem uma ideia que parece totalmente desligada da meditação. Só adianta ao que parece viver interrogativamente pois para cada interrogação lançada no ar corresponde uma resposta trabalhada na escuridão de meu ser, essa parte escura de mim e que é vital, sem ela eu seria vazio. Toda vez que eu faço uma coisa com intenção não sai nada, sou portanto um distraído quase proposital. Eu finjo que não quero, termino por acreditar que não quero e só então a coisa vem.

As coisas acontecem indiretamente. Elas vêm de lado. Eu juraria que esse era o lado esquerdo. (Eu me dou melhor com o meu lado esquerdo.) Que é quebrantado como o olhar de sensível ternura melancólica. É o encontro da pureza com a pureza e então a gente sente que é permissível a si mesmo, não sei mais o que dizer. Então – não o digo ou seria melhor que eu o diga. Ser um ser permissível a si mesmo é a glória de existir. Poder dizer a si mesmo com vergonha e canhestramente: eu a ti também te amo um pouco. Eu me permito. Aí eu chego ao ultrassonoro. Quem fala, parece que sou eu, mas não sou. É uma "ela" que fala em mim.

Às vezes sou espesso como Beethoven, outras vezes sou Debussy, estranha e leve melodia. Tudo acompanhado de uma respiração, três movimentos e escorrendo de quatro maravilhas. Meu sonho é acompanhado por uma respiração e por três instantes de onde escorrem sete maravilhas. Caminho em cima e ao longo de um som de uma prolongada nota só. A translúcida madrugada verde com o pipilar de centenas de passarinhos ainda conserva algo do pesadelo na noite escura: um cão na áspera madrugada ladra lá ao longe.

Como eu ia dizendo: foi Deus que me inventou. Assim também eu – como nas olimpíadas gregas os atletas que corriam passavam para a frente o archote aceso – assim também eu uso o meu sopro e invento Ângela Pralini e faço-a mulher. Mulher linda.

Eu e Ângela somos o meu diálogo interior: converso comigo mesmo. Ângela é do meu interior escuro: ela porém vem à luz. A tenebrosa escuridão de onde emerjo. Escuridão pululante, lava de úmido vulcão em fogo intenso. Escuridão cheia de vermes e borboletas, ratos e estrelas.

Eu penso por intermédio de hieróglifos (meus). E para viver tenho que constantemente me interpretar e cada vez a chave do hieróglifo, estou certo que o sonho – coisa (minha) (nula), não realizado – é a chave do mesmo.

Eu escrevo por intermédio de palavras que ocultam outras – as verdadeiras. É que as verdadeiras não podem ser denominadas. Mesmo que eu não saiba quais são as "verdadeiras palavras", eu estou sempre aludindo a elas. Meu espetacular e contínuo fracasso prova que existe o seu contrário: o sucesso. Mesmo que a mim não seja dado o sucesso, satisfaço-me em saber de sua existência.

Ocasionalmente eu mesmo que estou escrevendo este livro.

Aí eu falarei dos problemas de escrever. Do vórtice que é se pôr em estado de criação. Eu sinto que tenho uma tríplice estrela.

Eu, o autor deste livro, estou sendo tomado por mil demônios que escrevem dentro de mim. Essa necessidade de fluir, ah, jamais, jamais parar de fluir. Se parar essa fonte que em cada um de nós existe é horrível. A fonte é de mistérios,

mistérios escondidos e se parar é porque vem a morte. Tento neste livro meio doido, meio farfalhante, meio dançando nu pelas estradas, meio palhaço, meio bobo da corte do rei. Eu, o rei do sono, só sei dormir e comer, nada mais aprendi. Quanto ao resto, ladies e gentlemen, eu me calo. Só não conto qual é o segredo da vida porque ainda não aprendi. Mas um dia eu serei o segredo da vida. Cada um de nós é o segredo da vida e um é o outro e outro é um.

Não devo esquecer a modéstia franciscana da doçura de um passarinho. Dizei coisas maravilhosas ah vós que quereis escrever a vida por mais longa e curta. É uma maldita profissão que não dá descanso. Não sei se é o sonho que me faz escrever ou se o sonho é o resultado de um sonho que vem de escrever. Estamos nós plenos ou ocos? Quem és tu que me lês? És o meu segredo ou sou eu o teu segredo?

Com uma vida pobre (e qual é a vida rica?) com a vida pobre eu me salvo dela através do imaginário. Só que meu imaginário não se faz através de ações e sim através do sentir-pensar que na verdade é sonho. Eu imagino palavras de maravilha e recebo de volta o seu fulgor. A palavra "topázio" me transporta para o mais fundo de meu sonho: topázio me fascina em seu luminoso abismo de pedra real. Sonhei uma vez que havia uma realidade: foi ao me debruçar no enigma mudo do real sonhado que existe no topázio.

No ato de escrever eu atinjo aqui e agora o sonho mais secreto, aquele que eu não me lembro dele ao acordar. No que eu escrevo só me interessa encontrar meu timbre. Meu timbre de vida.

Amo Ângela Pralini porque me permite que eu durma enquanto ela fala. Eu que durmo para uma certa experiência preparativa da morte. Experiência do curso primário porque a morte é tão incomensurável que me perderei nela. Não – para falar sinceramente – não permito que o mundo exista depois de minha morte. Dou remorsos a quem eu deixar vivo e vendo televisão, remorsos porque a humanidade e o estado de homem são culpados sem remissão de minha morte.

Ângela – De noite os mortos andam pelas alamedas do cemitério antigo e ninguém ouve os seus címbalos. Uma clarineta desafina aguda e muda. Eu estremeço na minha cama sob o arrepio que me crispa e não. Não grito. Não. Mas estou mal e mal viva. Me resumo numa respiração abafada. Penso muito baixo e lento: se eu estou viva é porque vou morrer. A clarineta toca de novo. E agora vou apagar a luz e dormir.

Autor – (Enquanto Ângela dorme.) Todas as palavras aqui escritas resumem-se em um estado sempre atual que eu chamo de "estou sendo".

Ângela – Um dia desses vi sobre a mesa uma talhada de melancia. E, assim sobre a mesa nua, parecia o riso de um louco (não sei explicar melhor). Não fosse a resignação a um mundo que me obriga a ser sensata, como eu gritaria de susto às alegres monstruosidades pré-históricas da terra. Só um infante não se espanta: também ele é uma alegre monstruosidade que se repete desde o começo da história do homem. Só depois é que vêm o medo, o apaziguamento do medo, a negação do medo – a civilização enfim. Enquanto isso, sobre a mesa nua, a talhada gritante de melancia vermelha. Sou grata a meus olhos que ainda se espantam tanto. Ainda verei muitas coisas. Para falar verdade, mesmo sem melancia, uma mesa nua também é algo para se ver.

Autor – Escrevo como se estivesse dormindo e sonhando: as frases desconexas como no sonho. É difícil, estando acordado, sonhar livremente nos meus remotos mistérios. Há uma coerência – mas somente nas profundezas. Para quem está à tona e sem sonhar as frases nada significam. Se bem que embora acordados alguns saibam que se vive em sonho na vida real. O que é a vida real? os fatos? não, a vida real só é atingida pelo que há de sonho na vida real.

Sonhar não é ilusão. Mas é o ato que uma pessoa faz sozinha.

Eu – eu quero quebrar os limites da raça humana e tornar-me livre a ponto de grito selvagem ou "divino".

Mas me sinto indefeso em relação ao mundo que me é então aberto. Quem? quem me acompanha nessa solidão que se não fores tu, Ângela, não atingirei o cume? Ou talvez eu esteja querendo entrar nos mais remotos mistérios enquanto durmo que apenas afloram nos sonhos.

A imaginação antecede a realidade! Só que eu só sei imaginar palavras. Eu só sei uma coisa: sou pungentemente real. E que estou na vida fotografando o sonho. Qualquer um pode sonhar acordado se não mantiver acesa demais a consciência.

Minha vida é tentar a conquista daquele Desconhecido. Porque Deus é de outro mundo – o grande fantasma.

A vida real é um sonho, só que de olhos abertos (que veem tudo destorcido). A vida real entra em nós em câmara lenta, inclusive o raciocínio o mais rigoroso – é sonho. A consciência só me serve para eu saber que vivo às apalpadelas e na ilogicidade (apenas aparente) do sonho. O sonho dos acordados é matéria real. Nós somos tão ilógicos sonhadores que contamos com o futuro. Eu baseio minha vida no sonho-acordado. O que me guia é o projeto de amanhã vir a ser amanhã. Minha liberdade? minha própria liberdade não é livre: corre sobre trilhos invisíveis. Nem a loucura é livre. Mas também é verdade que a liberdade sem uma diretiva seria uma borboleta voando no ar. Mas nos sonhos dos acordados há uma ligeireza inconsequente de riacho borbulhante e coerente. O estado de ser.

O que sonho de noite e que me esqueço na manhã seguinte – esse desconforto íntimo de quem ignora parte de sua vida: a morte me escapa. Às vezes eu não durmo a noite inteira com a esperança de sonhar desperto e estar consciente do mistério e funduras do sonho. E realmente, mesmo sem dormir, por cansaço, começo a sonhar acordado.

Eu sou um abismo de mim mesmo. Mas sempre serei enviesado. E os cavalos brancos enchem minhas pupilas com amor ardente. Possuo sete cavalos de puro sangue. Seis brancos e um preto.

O quotidiano contém em si o abuso do quotidiano: o quotidiano tem a tragédia do tédio da repetição. Mas há uma escapatória: é que a grande realidade é fora de série, como um sonho nas entranhas do dia.

Nunca tive vocação para escrever: o número é que desde menino me fascinou. Se faço agora diariamente e canhestramente anotações é que minha mulher não serve para uma conversa.

Já andei tentando escrever e isso me divertiu, é uma aventura, nunca sei o que me acontecerá em forma de palavras e o que descobriria dia a dia para o meu próprio bem, farei o possível para não usar vocabulário técnico que naturalmente me viria pelo fato de eu ter me especializado em física.

Ângela – (*Profundidade: sonambulismo*). – Bom dia e boa tarde e boa noite para sempre que você quiser, oh rinoceronte atacante e eu preciso tomar cuidado com você. Digo assim: cuidado-cuidado-cuidado. Cuidado com o céu alto, ele pode baixar e me envolver em névoas e azul e minhas asas voarão em voo cego nas névoas espessas do azul que não é transparente porque o azul do céu não é transparente e nele estão incrustadas as estrelas, mas o sol e a lua estão à frente do azul, o azul fica atrás do sol e da lua, e o sol e a lua sobrenadam no ar sem cor. O que me separa do azul do céu alto são os absolutos quilômetros de ar sem cor e o ar sem cor é redondo e é o que eu respiro, não respiro o céu azul. E quando você me dá sua mão fria, eu, a quente, sinto um arrepio na espinha e te mato, mato, mato até você ficar completamente morto e inaproveitável para qualquer outra mulher, eu de novo te mato, mato e mato. Eu não quero você para nada, "seu" mão-fria. Vou por aí procurar mão quente, e mando você para a puta que te pariu meu grande amor, há um hiato perturbador entre nós dois – por isso é que tenho em mente para preencher esse hiato e tenho um amante para favorecer você e te salvar do vazio e oco hiato sem fundo que é o vácuo. O que escrevo agora não é para ninguém: é diretamente para o próprio escrever, esse escrever consome o escrever. Este meu livro da noite me nutre de melodia cantabile. O que escrevo é autonomamente real.

Eu quero o pensar-sentir hoje e, não, tê-lo apenas tido ontem ou ir tê-lo amanhã. Tenho certa pressa em sentir tudo. Não quero que nada se perca na passagem do eu--mim para o eu-global. Quero alcançar dentro de mim uma paisagem assim profundamente embaixo da terra um lençol d'águas plácidas correndo – e a alma extasiada que não se controla e estremece em levíssimo orgasmo. A pura contemplação.

Nunca vi uma coisa mais solitária do que ter uma ideia original e nova. Não se é apoiado por ninguém e mal se acredita em si mesmo. Quanto mais nova a sensação-ideia, mais perto se parece estar da solidão da loucura. Quando eu tenho uma sensação nova ela me estranha e eu a estranho. Também não suporto a felicidade aguda e solitária de me sentir feliz. Falta-me serenidade para receber as boas-novas. Quando fico feliz, me torno nervosa e agitada. A luz faísca brilhante demais para os meus pobres olhos.

Autor – Como profissão eu queria ser a pessoa que faz badalarem os sinos (sem ser para chamar fiel nenhum). Com que alegria eu próprio estremeceria às vibrações, translúcidas, potentes e ecoantes em pleno ar da vida: vigorosas badaladas extasiantes. É um som mais esplendoroso ainda que Bach.
Mas meu reino não é a clamante transparência da alma dos sinos. Ao contrário: tenebroso me alimento das negras raízes amargas das árvores, atingindo-as através de cavar a terra com nodosos dedos duros e com as unhas sujas: como e mastigo e engulo a terra.
Que estou eu dizendo! É ou não é verdade. Eu minto tanto que escrevo. Eu minto tanto que vivo. Eu minto tanto que ando à procura da verdade de mim. Tu serás a minha verdade. Quero a veraz semente de ti. Se eu conseguir atravessar o denso bosque de enganos. Sou um quiproquó em labirinto feito de fios sangrentos de nervos. E eu não entendo o que você fala, Ângela, só entendo o que você pensa. Querer entender é das piores coisas que podiam me acontecer. Mas através de tua inocência estou aprendendo a não saber. Mas vivo em perigo. Não perigo de fatos mas em extremo...

Ângela – (*Sonambulismo*). – Cinza-escuro os teus olhos de aço que me fascinam tua boca de rebordos mais claros que os lábios. Só me abraças forte demais quando queres mas nunca adivinhas quando eu quero.

As uvas, um cacho de uvas redondas e polpudas e líquidas e falsamente transparentes porque dão a impressão de serem transparentes, mas não se vê o lado de lá tu és inteiramente opaco embora dês a impressão de transparência diabo pro inferno que tenho a ver com a opacidade das coisas e a tua o touro da fazenda é grosso as vacas cheirando a campos e campos inéditos o campo fica ao ar livre entre o campo e o céu eu respiro o ar que voa voa leve quando começa a brisar meu rosto nu e desgovernado louco quando as janelas batem e batem as ventanias gosto tanto de ser brisada como de me expor à ventania que bate as portas e janelas do casarão inteiro. Bate e bate depressa doido nós e os criados corremos para fechá-las e dentro do casarão fechado abafamos em luz elétrica mortiça ouvindo o ganir do ar violento e rápido estremecem as portas e janelas fechadas.

Se diz assim beijada pela brisa lugar-comum prefiro dizer que a brisa me abençoa entre ligeiramente ocre e ao mesmo tempo que levemente adstringente é também levemente adocicada nos lábios que são poluídos pelo pólen trazido pelo véu de perfume que é a brisa.

Autor – Ângela, não imagina por que teve essa ideia: a de contar números a partir de um até atingir mil. E realmente alguma coisa acontece: à medida que os números ficam mais altos, ela mesma se alça a um estado de extrema graça, quase irrespirável de tão rarefeito. Acontece como uma hipnose sonambúlica mas com um leve toque de consciência: apenas o bastante para saber-se a si mesma. E a saber que está sendo levada por si própria por de súbito, uma desconhecida – para um plano cheio de fábulas.

Ângela é um sonho meu.

Estou com a cabeça adormecida e as palavras saem de mim vindas de um fluxo que não é mental. Vazio como se fica quando se atinge o mais puro estado de pensar. Brotar--se em pensamento é muito excitante, sensual. Embora às vezes o mormaço, sol atrás das nuvens. Quanto a mim, mantenho secreto o meu estranho poder. Não sei poder de quê – meio treva e se de uma potência. Quem sabe se esse poder resume-se em respirar? em pensar? em quase adivinhar? em poder matar e não matar? É um poder contido. Às vezes o pensamento que brota dá cócegas de tão leve e inexprimível. Tenho pensamentos que não posso traduzir em palavras – às vezes penso um triângulo. Mas quando procuro pensar fico preocupado com procurar pensar e nada surge. Às vezes meu pensamento é apenas o sussurro de minhas folhas e galhos. Mas para o meu melhor pensamento não são encontradas as palavras.

Descobri que eu preciso não saber o que penso – se eu ficar consciente do que penso, passo a não poder mais pensar, passo a só me ver pensar. Quando digo "pensar" refiro-me ao modo como sonho as palavras. Mas pensamento tem que ser um sentir.

Eu agora sei pensar em nada. Foi uma conquista. Não pensar significa o contato inexprimível com o Nada. O "Nada" é o começo de uma disponibilidade livre que Ângela chamaria de Graça.

Ângela – Tive insônia ontem de noite.
Fechei os olhos relaxei o corpo e procurei não pensar para adormecer. Aos poucos fui tendo uma consciência estranha de abandono. Meu (pensamento?) minha essência se... Meu corpo estava fora de mim e eu o vi transparente e através da transparência artérias pulsantes, vivas, plenas de sangue que circulava com a mais alta velocidade possível por todos os membros: pareciam canais de irrigação. Vi também ar, água e um líquido amarelo. Via tudo em cores. Tudo em absoluto silêncio. Não é a todos que é dado o fugaz

mergulho na própria e misteriosa carne. Este meu corpo que é autônomo e seguramente eletrônico. Nenhuma máquina me faz viver. Meu corpo está vivo e trabalha como uma usina que trabalhasse em absoluto silêncio. Meu interior é uma das coisas mais belas e estranhas do mundo. Eu sou a Natureza genial. Só Deus, que é energia criadora, poderia me ter feito com a perfeição do tesouro que eu tenho dentro de mim.

Depois meu pensamento ou essência visionária voltou a mim mesma e essa volta foi muito confortável e senti-me plenamente satisfeita. E com uma ternura delicada pela posse daquela coisa inexplicável e que trabalhava para mim. Aí não me lembro de mais nada. Em seguida senti que o sono me tomava devagar e adormeci sob a bênção do corpo de Deus.

Autor – Ângela pensa que estado de graça ou de vida está em realizar-se no mundo externo. Mesmo Deus ela se força a conquistar, tornando-o o mundo externo. Mas quem vive em estado de graça, não permanentemente mas com muita frequência, sou eu. Consegui isto através de um desapego em relação ao mundo. Vivo um vazio que se chama também plenitude. Não ter me cumula de bênçãos. Quanto à minha vida prática consegui viver em cidade grande e turbulenta como se ela fosse provinciana e fácil.

Ângela escreve como vive: projetando-se. Mas eu já estou livre: escrevo para nada. Eu abro caminho por mim mesmo. Vivo sem modelos. Escrevo sem modelos. Ser livre é o que me dá essa grande responsabilidade.

Eu... eu... eu?

Ângela – Quanto a mim, ponho minhas inexistentes barbas de molho, pois não sou boba. Essa noite – de ventania – sonhei um sonho tão gratificante. Era um menino de 14 anos e uma menina de 13 que corriam um atrás do outro, se escondendo atrás de árvores, e às gargalhadas, brincando. E eis que de repente eles param e mudos, graves, espantados se olham nos olhos: é que eles sabiam que um dia iriam amar.

Autor – Ângela é urgente e emergente. Como juiz sou infelizmente mais preso ao devagar que sempre espero.
Eis-me. Fui alistado e apresento-me a mim mesmo. E tomba uma gota de ouro. A realidade é mais inatingível que Deus – porque não se pode rezar para a realidade.
No sonho do real parece que não sou eu que estou vivendo e sim outra pessoa. Essa outra pessoa é Ângela que é meu sonho acordado.
Estou falando eu ou está falando Ângela?
Não existe realidade em si mesma. O que há é ver a verdade através do sonho. A vida real é apenas simbólica: ela se refere a alguma outra coisa.
A ação – eis o que o mágico visa! O mágico pretende substituir-se à Lei, seja em benefício próprio, seja em benefício de quem o contrata e o paga.
Eu não existiria se não houvesse palavras.
Ângela parte da linguagem à existência. Ela não existiria se não houvesse palavras.
Se sou um escritor há muito tempo, só posso dizer quanto mais se escreve mais difícil é escrever. Faço concorrência comigo mesmo? Estou, por exemplo, querendo escrever sobre uma pessoa que inventei: uma mulher chamada Ângela Pralini. E é difícil. Como separá-la de mim? Como fazê-la diferente do que sou? Uma coisa é certa e é inútil tentar modificar: é que Ângela herdou de mim o desejo de escrever e de pintar. E se herdou esta parte minha, é que não consigo imaginar uma vida sem a arte de escrever ou de pintar ou de fazer música. O que quer Ângela da vida? Aos poucos descobrirei. Ao mesmo tempo em que descobrirei o que quero da vida. Só que Ângela é impulsionada pela ambição e eu por uma casta humildade. Para escrever pre-

ciso não perder de vista minha pouca capacidade. Sou uma nota musical grave. Ângela é uma nota aguda, é um grito no ar. Eu sussurro, Ângela, com voz clara, alta e límpida, canta suas futilidades que têm o dom de parecerem realidades profundas e fantásticas. Eu perdi o meu estilo: o que considero um lucro: quanto menos estilo se tiver, mais pura sai a nua palavra. Tenho necessidade, na minha solidão, de confiar em alguém e por isso fiz Ângela nascer: quero manter diálogo com ela. Mas acontece que, em páginas anteriores a estas, em páginas escritas que já rasguei, notei que meu diálogo com Ângela é diálogo de surdos: um diz uma coisa e o outro diz sim mas a coisa diversa, e venho eu dizendo não, e vejo Ângela nem sequer me contradizer. Cada um de nós segue o próprio fio da meada, sem ouvir muito o outro. É a liberdade. E não posso me queixar: eu mesmo dei essa liberdade e independência a Ângela. Quase sempre ela me ignora. Eu luto por manter meu estilo qualquer que seja e que os críticos ainda não depuraram. – Ângela luta por criar um modo próprio de se expressar. Então, como sou de certo modo dono dela – obrigo-a a escrever simples. Ângela – como explicar – tem uma ansiedade dourada. Eu tenho o peso de uma angústia no peito, angústia sem ouro nem cristal nem prata. Ângela é ouro-sol, é diamante-faiscando, é cristal espelhante. Imagino-a também como uma enorme esmeralda tremeluzindo no oco do ar e seu profundo verde transparente é mágico. Ela é uma cascata de pedras preciosas. Invejo-a, eu que variavelmente perco a minha opacidade.

Ângela – Eu me defrontei com o impossível de mim mesma.

Aí, eu desafinei sem querer. Irreal como música. Eu sonolenta e fantasmagórica na noite fechada e cheia de fumaça e nós ao redor da fortíssima lâmpada amarelada, luz que não me deixa dormir, como os holofotes agudíssimos que os algozes acendem sobre a vítima da tortura para não deixá-la descansar.

Eu antes era uma mulher que sabia distinguir as coisas quando as via. Mas agora cometi o erro grave de pensar.

Autor – Ângela vive atordoada em grande desordem. Se não fosse eu, Ângela não teria consciência. Se não fosse eu, ela seria diáfana como o perfume de um sonho. Para que ela seja mais que o perfume de um sonho espalho aqui e acolá na vastidão dela um outro cacto duro, mais adiante outros. Como marcos de distância. Perfume de um sonho? mas ela é o substrato imaterial de mim.

Ângela – Eu sou como sonâmbula. Quero compor uma sinfonia em que no entrecho haja silêncio – e a plateia não bateria palmas pois sentiria que os músicos parados – como numa fotografia – não queriam dizer "fim". A música está no auge – então faz-se silêncio de um minuto – e os sons recomeçam.

Autor – Além de minha involuntária mas incisiva função de pobre escriba – além disso é o silêncio que invade todos os interstícios de minha escuridão plena.

A música me ensina profundamente uma audácia no mundo de sentir-se a si mesmo. Eu busco a desordem, eu busco o primitivo estado de caos. É nele que me sinto viver. Preciso da escuridão que implore, da receptividade das mais primeiras formas de querer.

O pequeno sucesso de meus livros me dificultou escrever. Fui invadido pelas palavras dos outros. Preciso reencontrar a minha dificuldade. Ela vem do que é veraz em mim. Preciso livrar-me de habilidades. Essa habilidade me faz poder escrever até para semianalfabetos. Pois não preciso nem mesmo de mim. Estou livre de mim. Terrivelmente desocupado porque não preciso de mais nada. Nem do dia seguinte eu preciso. O que sustenta e equilibra o homem são suas pequenas manias e hábitos. E dão realce a seu desenvolvimento porque tudo o que se repete muito termina por aprofundar uma atitude e a dar-lhe espaço. Mas para se experimentar uma surpresa é necessário que a rotina dos hábitos e manias seja por qualquer motivo suspensa. Com que fico? Com o aprofundamento crítico ou com uma surpresa estimulante? Acho que fico com os dois, anarquicamente intercalados ou simultâneos. Simultaneidade no trabalho criativo vem do aprofundamento: às vezes, a cavar fundo na terra se vê de súbito uma faísca – gema inesperada. Eu uso o sistema bancário e não entendo. Uso o telefone e não compreendo o seu mecanismo. Ligo o botão da televisão e tudo o que sei de televisão é o botão. Eu uso o homem e não o conheço. Eu me uso e...

Ângela – ... e vejo tudo com perspectivas novas: a mesa onde escrevo se alonga além do comprimento de uma mesa, minha caneta é enorme de longa e preciso para escrever me manter muito longe da mesa para que a ponta da caneta atinja o papel que é mais branco que o papel. Do abajur jorra um grande triângulo de luz sobre o papel e minha mão e eu faço sombra descomunal na parede. Tudo se alargou. Eu, o papel, a luz e a caneta estão soltos num espaço solto no campo ilimitado onde se alteiam trigais dourados.

Autor – Eu, alquimista de mim mesmo. Sou um homem que se devora? Não, é que vivo em eterna mutação, com novas adaptações a meu renovado viver e nunca chego ao fim de cada um dos modos de existir. Vivo de esboços não acabados e vacilantes. Mas equilibro-me como posso entre mim e eu, entre mim e os homens, entre mim e o Deus.

Vivo em escuridão da alma, e o coração pulsando, sôfrego pelas futuras batidas que não podem parar. Mas uma ou outra frase se salva das trevas e sobe leve e volátil à minha superfície: então anoto aqui.

Mas o que eu queria era trazer à tona de mim a própria e rica escuridão que seria como petróleo jorrando escuro e espesso e rico.

Eu não sou um informante mas às vezes me sucede dar notícias que a mim mesmo me surpreendem.

Quando eu me concentro me concentro sem querer e sem saber como consigo mas consigo independente de mim. Ou melhor: acontece. Mas quando eu mesmo quero me concentrar então distraio-me e perco-me no "querer" e passo somente a sentir o querer que vem a ser o objetivo. E a concentração não se faz. A vontade tem que ser escondida se não mata o nervo vital do que se quer.

Quem manda em mim, se não sou eu? Pois eu não consigo me alcançar.

Qual é a palavra que representa o "desconhecido" que sentimos em nós mesmos? Há muito que já aderi ao desconhecido. Qual é a realidade do mundo? porque eu a desconheço. A natureza não é casual. Pois ela se repete, e o acaso repetido se torna uma lei, esses acasos que não são acasos.

Fico horrorizado e minha testa se cobre de suor frio. Porque se é verdade o que mal e mal pressinto – então tenho que mudar radicalmente de vida.

O que eu penso? bem, vou tentar explicar com a testa úmida e mão ligeiramente trêmula: é o seguinte:

Quem sabe – quem sabe se o que é certo está exatamente no erro? Se é verdade, quantos "erros" frutíferos eu perdi. Isso contraria tudo o que aprendi e tudo o que a sociedade humana me ensinou. Por medo do erro, eu me abastardei. Para evitar o erro, eu nada de grande ousei. Eu, de pé na rua, faço sombra no chão. A minha sombra é o meu avesso do "certo", a minha sombra é o meu erro – e esta sombra-erro me pertence, só eu a possuo em mim, eu sou a única pessoa no mundo que calhou ser eu. Tem pois o direito adquirido de ser eu? E quero agora meus erros de volta. Reivindico-os.

Quero esquecer que existem leitores – e também leitores exigentes que esperam de mim não sei o quê. Pois vou tomar a minha liberdade nas mãos e escreverei pouco-se--me-dá-o-quê?, ruim mesmo, mas eu.

Eu sou apenas esporadicamente. O resto são palavras vazias, elas também esporádicas.

Tentativa de sensibilizar a língua para que ela trema e estremeça e meu terremoto abra fendas assustadoras nessa língua livre – mas eu preso e em processo de que não tomo consciência e ele segue sem mim.

Para começo de conversa, afianço que só se vive, vida mesmo, quando se aprende que até a mentira é verdade. Recuso-me a dar provas. Mas se alguém insistir muito em "porquês", digo: a mentira nasce em quem a cria e passa a fazer existirem novas mentiras de novas verdades.

Uma palavra é a mentira de outra.

Quero exigentemente que acreditem em mim. Quero que acreditem em mim até quando minto.

Ângela – Não estou – espero – me julgando com excesso de imparcialidade. Mas preciso ser um pouco imparcial senão sucumbo e me enredo na minha forma patética de viver. Aliás fisicamente tenho algo de patético: meus olhos grandes são infantilmente interrogativos ao mesmo tempo em que parecem pedir alguma coisa e meus lábios estão sempre entreabertos como se fica diante de uma sur-

presa ou então como quando o ar que se respira pelo nariz é insuficiente e então se respira pela boca: ou então como ficam os lábios quando estão prestes a serem beijados. Eu sou, sem ter consciência disso, uma armadilha. Apesar de sagaz, não compreendo realmente o que está me acontecendo. E o mundo a me exigir decisões para as quais não estou preparada. Decisões não só a respeito de provocar o nascimento de fatos mas também decisões sobre a melhor forma de ser.
Uma tensão de corda de violino.
Eu não compreendo o meu passado mais remoto, a infância e a adolescência que vive sem compreender e sem prestar atenção. Era uma avoada. Agora sem o mínimo de apoio na base inicial de minha vida sou solta e periclitante e os acontecimentos vêm a mim como algo sempre descontínuo, não ligados a uma compreensão anterior à qual esses acontecimentos deviam ser uma sucessão inteligível. Mas não: os acontecimentos parecem não ter causa em mim. Eu não entendo propriamente o que me acontece. E meu ponto de vista em relação às honras é primário.
Por que quero fazer de mim um herói? Eu na verdade sou anti-heroica. O que me atormenta é que tudo é "por enquanto", nada é "sempre". A vida – a partir do momento em que se nasce – é guiada, idealizada pelo sonho. Eu nada planejo, eu dou um salto no escuro e mastigo trevas, e nessas trevas às vezes vejo o faiscar luminoso e puro de três brilhantes que não são comíveis. Então subo à tona com um brilhante em cada pupila dos olhos para transpassar o opaco do mundo e outro entre os lábios semicerrados para quando eu falar minhas palavras sejam cristalinas, duras e ofuscantes.

Autor – Eu queria um modo de escrever delicadíssimo, esquizoide, esquivo verdadeiro que me revelasse a

mim mesmo a face sem rugas da eternidade. Obcecado pelo desejo de ser feliz eu perdi minha vida.
Movi-me com uma tensão de arco e flecha numa irrealidade de desejos.

Ângela – Está faltando o sonho no que eu escrevo. Como viver é secreto! Meu segredo é a vida. Eu não conto a ninguém que estou viva.

Autor – Vivemos em *fin de siècle*, nos esgotando em decadência – ou estamos na Idade do Ouro? estamos à beira de uma eclosão. À beira de conhecer a nós mesmos. À beira do ano 2000.
O mundo? Sua história impiedosa e trágica é o meu passado. Será que a palavra topázio já está com o seu pensamento gasto? Não, ainda sinto fulgores de uma energia na translúcida palavra dourada chamada topázio.
Sou um mendigo de barba cheia de piolhos sentado na calçada da rua chorando. Não passo disso. Não estou alegre nem triste. Estou isento e incólume e gratuito.

Ângela – Dormir... De coração todo calado e trôpego, a mão tremendo, o calor íntimo de um gole de vinho tinto. E entrar na cama cheia de travesseiros e escolher a melhor posição. Então um murmúrio de prece vem do sangue aquecido. Mas não consigo nunca captar o instante-zero em que adormeço e dormente morro.
É de noite andei descalça na areia penumbrosa mas o mar era um grosso vazamento da noite escura – e eu me assustei como andorinha. O preto mar me chamava em ressaca de maré baixa, marulho negro.
Depois de uma noite maldormida estou em estado de agreste vigilância. E o que deveriam ter sido os sonhos se eu tivesse dormido de noite passou a acontecer de dia: de

qualquer modo esses sonhos viriam a aparenciar e tinham porque tinham que passar até mesmo por estreitas frechas que o dia em mim abre. De tal modo me é impossível deixar de sonhar e de devanear. Sou um crânio oco e de paredes vibrantes e cheio de névoas azuladas: estas são matéria de se dormir e sonhar e não de ser. Tenho porque tenho que inventar meu futuro e inventar o meu caminho.

Eu quero o cascalho rebrilhante no riacho obscuro. Eu quero o faiscar da pedra sob os raios de sol, eu quero a morte que me liberta. O prazer eu o conseguiria se me abstivesse de pensar. Aí eu sentiria o fluxo e o refluxo do ar nos meus pulmões. Experimento viver sem passado sem presente e sem futuro e eis-me aqui livre.

É de manhã. O mundo está tão alegre como um circo desvalido.

Autor – Faz um dia muito bonito. Chove uma chuva muito fina, o céu está escuro e o mar revoltado. As almas esvoaçam no cemitério, os vampiros estão soltos, os morcegos encolhidos nas cavernas. Aconchego de mistério e terror. Se de repente o sol aparecesse eu daria um grito de pasmo e um mundo desabaria e nem daria tempo de todos fugirem da claridade. Os seres que se alimentam das trevas.

Só me interessa escrever quando eu me surpreendo com o que escrevo. Eu prescindo da realidade porque posso ter tudo através do pensamento.

A realidade não me surpreende. Mas não é verdade; de repente tenho uma tal fome de "coisa acontecer mesmo" que mordo num grito a realidade com os dentes dilacerantes. E depois suspiro sobre a presa cuja carne comi. E por muito tempo, de novo, prescindo da realidade real e me aconchego em viver da imaginação.

COMO TORNAR TUDO UM SONHO ACORDADO?

UTOR. – Mais importante que o texto é o fato. Os fatos me atrapalham. Por isso é que agora vou escrever sobre não fatos, isto é, sobre as coisas e o seu mirabolante mistério. É curiosa a sensação de escrever. Ao escrever não penso nem no leitor nem em mim: nessa hora sou – mas só de mim – sou as palavras propriamente ditas.

Ângela – Gosto de palavras. Às vezes me ocorre uma frase solta e faruscante, sem nada a ver com o resto de mim. Vou de agora em diante escrever neste diário, em dias em que não haja mais o que fazer, as frases quase à beira de não ter sentido mas que soam como palavras amorosas. Dizer palavras sem sentido é minha grande liberdade. Pouco me importa ser entendida, quero o impacto das sílabas ofuscantes, quero o nocivo de uma palavra má. Na palavra está tudo. Quem me dera, porém, que eu não tivesse esse desejo errado de escrever. Sinto que sou impulsionada. Por quem?

Eu quero escrever com palavras tão agarradas umas nas outras que não haja intervalos entre elas e entre eu. Eu quero escrever bem zangada. Quanto a mim, eu sou de longe. Muito longe. E de mim vem o puro cheiro de querosene.

Autor – A palavra é o dejeto do pensamento. Cintila. Cada livro é sangue, é pus, é excremento, é coração retalhado, é nervos fragmentados, é choque elétrico, é sangue coagulado escorrendo como lava fervendo pela montanha abaixo.

Ângela – Oh não quero mais me expressar por palavras: quero por "beijo-te".

Autor – Eu ocasionalmente, eu que escrevo, procuro para cada palavra o estalar inconsciente de um sentimento cruciante.

Ângela – Tenho vontade de escrever e não consigo. Tenho vontade de escrever uma história chamada: "Um Pé". E outra chamada: "Áspera que És". O que escrevo está sem entrelinha? Se assim for, estou perdida.
O romance que eu queria escrever seria "É como Tentar Lembrar-se. E não Conseguir".
"Há um livro em cada um de nós", dizem. E talvez daí eu tenha querido expulsar de mim um livro que eu escreveria se para isso talento eu tivesse, e mais a perseverança.
Estou me sentindo como sereia fora d'água. Na metade de mim as escamas são joias que refulgem ao sol da vida. Pois saí do mar para a vida. E me retorço sobre um penedo penteando meus longos cabelos salgados. Escrevi isso não sei por quê, acho que é para não deixar de anotar alguma coisa.

Eu não escrevo, porque sou preguiçosa e esvoaçante. Quero viver demais e penso que escrever é não viver. Que basta sentir. Nada posso fazer por mim nesse sentido: já me libertei de minha máquina e exijo ser entregue ao meu destino.

Autor – Eu não escrevo por querer não. Eu escrevo porque preciso. Senão o que fazer de mim? Tudo o que fico sendo ou agindo ou pensando tem acompanhamento musical. Há dias inteiros e consecutivos que são acompanhados por poderoso e soturno órgão. Quando eu estou difícil para mim mesmo o acompanhamento é de quarteto. Quase não sei o que sinto, se na verdade sinto. O que não existe passa a existir ao receber um nome. Eu escrevo para fazer existir e para existir-me. Desde criança procuro o sopro da palavra que dá vida aos sussurros. Só não me tornei um verdadeiro escritor porque me perco demais entre as vidas e minha vida. E porque também preciso pôr ordem na minha vida, nesse caos de que é feita esta vida grave e inassimilável. Não consigo me associar à minha vida.

Grave como um menino de 13 anos. Grave como uma boca aberta cantando. A anunciação.

Que desaforo: me fazer esperar.

Ver é milagre. Como descrever uma pirâmide? Como descrever uma luz acesa?

Ângela – Eu tenho tanta vergonha de escrever. Ainda bem que não publico. Quando a gente fala com Deus não deve usar palavras. O único modo de contato é o de uma atitude muda e viva, como o ponteiro de uma inconsciente e sábia bússola.

Autor – Me coisificam quando me chamam de escritor. Nunca fui e nunca serei. Recuso-me a ter papel de escriba no mundo. Eu odeio quando me mandam escrever ou quando esperam que eu escreva. Recebi uma vez uma carta anônima que me oferecia espiritualmente um recital de música contanto que eu continuasse a escrever. Resultado: parei completamente. Só quem manda em mim – eu é que sei.

Ângela – Eu não escrevo encrencado. É liso como mar manso com ondas que se espraiam alvas e frígidas: agnus-dei.
Mas alguém me ouve? Então eu grito alto: mamãe, e sou filha e sou mãe. E tenho em mim o vírus de cruel violência e dulcíssimo amor. Meus filhos: eu vos amo com o meu pobre corpo e minha rica alma. E juro dizer a verdade e só a verdade. Envolvida pelo terror. Amém.
Eu ponhei cada coisa em seu lugar. É isso mesmo: ponhei. Porque "pus" parece de ferida feia e marrom na perna de mendigo e a gente se sente tão culpada por causa da ferida com pus do mendigo e o mendigo somos nós, os degredados.
Tão delicado e estremecente como captar uma estação de música no rádio de pilhas. Mesmo pilha nova às vezes se nega. E de repente vem fraquinha ou fortíssima a abençoada estação que eu quero, lévida como um mosquito. Quem já falou no barulhinho seco e breve que faz o fósforo quando se acende a brasa e alaranjada flama?
Estou esperando a inspiração de eu viver.
Eu gosto tanto de crianças, eu gostaria tanto de publicar um filho chamado João!

Autor – Está faltando a este livro um estrondo. Um escândalo. Uma prisão. Mas não haverá prisão, e o estrondo é uma implosão.

Ângela escreve crônicas para o jornal. Crônicas semanais, mas não fica satisfeita. Crônica não é literatura, é paraliteratura. Os outros podem achá-las de boa qualidade mas ela as considera medíocres. Queria era escrever um romance mas isso é impossível porque não tem fôlego para tanto. Seus contos foram rejeitados pelas editoras, alguns dizendo que eles são muito longe da realidade. Vai tentar escrever um dentro da "realidade" dos outros, mas isso seria se abastardar. Não sabe o que fazer. Enquanto isso sua tapeçaria atual está indo: tece enquanto os amigos e amigas estão falando. Para evitar ficar de mãos abandonadas, fica tecendo horas e horas. Na primeira e única exposição de tapeçarias. Ao que parece é melhor tapeceira do que cronista.

LIVRO DE ÂNGELA

LIVRO DE ANGOLA

NGELA. – "Senhoras e senhores: temo que o meu assunto seja apaixonante. E como não gosto da paixão vou abordá-lo com cautela timidamente e com muitos rodeios"

[MAX BEERBOHM]

"Mas eu amo a paixão"

[ÂNGELA PRALINI]

"Só me interessa o que não se pode pensar – o que se pode pensar é pouco demais para mim"

[ÂNGELA PRALINI]

Autor – Preciso tomar cuidado. Ângela já está se sentindo impulsionada por mim. É preciso que ela não perceba a minha existência, quase como que não percebemos a existência de Deus.

Ângela ao que parece quer escrever um livro estudando as coisas e objetos e sua aura. Mas duvido que ela aguente o compromisso. Suas observações em vez de serem construídas em livro saem descompromissadamente de seu modo de falar. Como ela gosta de escrever, eu quase não escrevo sobre ela, deixo ela mesma falar.

Ângela – Eu gostaria na verdade de descrever naturezas-mortas. Por exemplo, as três garrafas altas e bojudas na mesa de mármore: silentes as garrafas como se elas estivessem sozinhas em casa. Nada do que vejo me pertence na sua essência. E o único uso que faço delas é olhar.

Autor – Escusado dizer que Ângela nunca vai escrever o romance cujo começo todos os dias ela adia. Não sabe que não tem capacidade de lidar com a feitura de um livro. Ela é inconsequente. Só consegue anotar frases soltas. Só há um ponto em que ela, se fosse mesmo uma realizadora de vocação, teria continuidade: é o seu interesse em descobrir a aura volátil das coisas.

Ângela – Amanhã começo o meu romance das coisas.

Autor – Não começará nada. Primeiro porque Ângela nunca acaba o que começou. Segundo porque suas esparsas notas para o seu livro são todas fragmentárias e Ângela não sabe unir e construir. Ela nunca será escritora. Isso lhe poupa o sofrimento da aridez. Ela é muito sábia em se colocar à margem da vida e usufruir da simples anotação irresponsável. E ela não fazendo um livro escapa ao que sinto quando termino um livro: a pobreza da alma, e esgotamento das fontes de energia. Será que há quem diga que escrever é trabalho de preguiçoso?

O livro que a pseudoescritora Ângela está fazendo vai se chamar de "História das Coisas". (Sugestões oníricas e incursões pelo inconsciente.)

Ângela é quem vê e estuda as coisas a fim de aproveitar para escultura ou porque gosta de escultura. Ela é um personagem tão autônomo que se interessa por coisas que a mim autor não dizem respeito. Observo-a escrevendo sobre objetos. É um livre-estudo no qual não tomo parte. Enquanto para Ângela as coisas são pessoais para mim o estudo da coisa é abstrato demais.

Ângela – Escrever – eu arranco as coisas de mim aos pedaços como o arpão fisga a baleia e lhe estraçalha a carne...

Autor – ... enquanto eu gostaria de tirar a carne das palavras. Que cada palavra fosse um osso seco ao sol. Eu sou o Dia. Só uma coisa me liga a Ângela: somos o gênero humano.

Ângela – Nem sei como começar. Só sei que vou falar no mundo das coisas. Eu juro que a coisa tem aura.

Autor – Todo o mundo que aprendeu a ler e escrever tem uma certa vontade de escrever. É legítimo: todo o ser tem algo a dizer. Mas é preciso mais do que a vontade de escrever. Ângela diz, como milhares de pessoas dizem (e com razão): "minha vida é um verdadeiro romance, se eu escrevesse contando ninguém acreditaria". E é verdade. A vida de cada pessoa é passível de um aprofundamento doloroso e a vida de cada pessoa é "inacreditável". O que devem fazer essas pessoas? O que Ângela faz: escrever sem nenhum compromisso. Às vezes escrever uma só linha basta para salvar o próprio coração.

Ângela – Este é um livro compacto. Peço perdão e vênia para passar. Ainda não tem explicação. Mas no dia terá. A música deste livro é "Rapsódia com Clarineta e Orquestra

de Debussy". Trombetas de Darius Milheau. É a revelação sexual do que existe. Grande Marcha Nupcial de Loengrin de Wagner. Georg Auric "O Discurso do General". E agora – agora vou começar:
— O que é a natureza senão o mistério que tudo engloba? Cada coisa tem o seu lugar. Que o digam as pirâmides do Egito. No alto de tanta incompreensão, no topo da pirâmide, quantos séculos, eu te contemplo, oh ignorância. E eu sei qual é o segredo da esfinge. Ela não me devorou porque respondi certo à sua pergunta. Mas eu sou um enigma para a esfinge e no entanto não a devorei. Decifra-me, disse eu à esfinge. E esta ficou muda. As pirâmides são eternas. Vão ser sempre restauradas. A alma humana é coisa? É eterna? Entre as marteladas eu ouço o silêncio.

Autor – Porque Ângela é tão novidade e inusitada que eu me assusto. Me assusto em deslumbre e temor diante do seu improviso. Eu a imito? ou ela me imita? Não sei: mas o modo de escrever dela me lembra ferozmente o meu como um filho pode parecer com o pai. Com os pais ancestrais. Venho de longe. Eu sou eficiente, Ângela não é. Eu dou corda nela como num brinquedo mecânico e ela se põe a funcionar com estridência. Eu então tiro a estridência pondo óleo nas suas roscas e parafusos. Só que ela não funciona com meu jeito mecanicista: ela só age (através de palavras) quando eu a deixo livre.

Ângela – Não posso ficar olhando demais um objeto senão ele me deflagra. Mais misteriosa do que a alma é a matéria. Mais enigmática que o pensamento, é a "coisa". A coisa que está às mãos milagrosamente concreta. Inclusive, a coisa é uma grande prova do espírito. Palavra também é coisa – coisa volátil que eu pego no ar com a boca quando falo. Eu a concretizo. A coisa é a materialização da aérea energia. Eu sou um objeto que o tempo e a energia reuniram no espaço. As leis da física regem meu espírito e reúnem em bloco visível o meu corpo de carne.

A paralisia pode transformar uma pessoa em coisa? Não, não pode, porque essa coisa pensa. Estou precisando urgentemente de nascer. Está me doendo muito. Mas se eu não saio dessa, sufoco. Quero gritar. Quero gritar para o mundo: Nasci!!!

E então eu respiro. E então eu tenho a liberdade de escrever sobre as coisas do mundo. Porque é óbvio que a coisa está urgentemente pedindo clemência por exagerarmos o seu uso. Mas se estamos numa época de mecanicismo, damos também o nosso grito espiritual.

O objeto – a coisa – sempre me fascinou e de algum modo me destruiu. No meu livro *A cidade sitiada* eu falo indiretamente no mistério da coisa. Coisa é bicho especializado e imobilizado. Há anos também descrevi um guarda-roupa. Depois veio a descrição de um imemorável relógio chamado Sveglia: relógio eletrônico que me assombrou e assombraria qualquer pessoa viva no mundo. Depois veio a vez do telefone. No "Ovo e a Galinha" falo no guindaste. É uma aproximação tímida minha da subversão do mundo vivo e do mundo morto ameaçador.

Não, a vida não é uma opereta. É uma trágica ópera em que num balé fantástico se cruzam ovos, relógios, telefones, patinadores do gelo e o retrato de um desconhecido morto no ano de 1920.

Autor – Ângela escreve sobre objetos assim como teceria rendas. Mulher rendeira.

Ângela – A coisa me domina. Mas o cachorro que há em mim late e há arrebentação da coisa fatal. Há fatalidade na minha vida. Há muito aceitei o destino espaventado que é o meu. Obrigada. Muito obrigada, meu senhor. Vou embora: vou ao que é meu. Meu coração está gélido que nem barulhinho de gelo em copo de uísque. Um dia eu falarei do gelo. De nervosa quebrei um copo. E o mundo estourou. E quebrei espelho. Mas não me olhei nele. Vou fazer uma devassa das coisas. Espero que elas não se vinguem de mim. Perdoe-me, coisa, que sou pobre coitada. Ah que suspiro do mundo.

Autor – Ângela se apaixonou pela visão das "coisas". As "coisas" são para ela uma experiência quase sem a atmosfera de algum pensamento ou máxima constante. No entanto, quando observa as coisas, age com um liame que a une a elas. Ela não é isenta. Ela humaniza as coisas. Não é pois autêntica no seu propósito.

Ângela – Quando eu vejo, a coisa passa a existir. Eu vejo a coisa na coisa. Transmutação. Estou esculpindo com os olhos o que vejo. A coisa propriamente dita é imaterial. O que se chama de "coisa" é a condensação sólida e visível de uma parte de sua aura. A aura da coisa é diferente da aura da pessoa. A aura desta flui e reflui, se omite e se apresenta, se adoça ou se encoleriza em púrpura, explode e se implode. Enquanto a aura da coisa é igual a si mesma o tempo todo. A aura qualifica as coisas. E a nós também. E aos animais que ganham um nome de raça e espécie. Mas a minha aura estremece fúlgida ao te ver.

Autor – Eu queria escrever algo largo e livre. Não descrever Ângela mas sim alojar-me temporariamente no seu modo de ser. Ângela não tem senão uma parca trama de vida. E não exige que qualquer coisa de inusitado lhe aconteça. Mas quero a coisa intangível: o seu jeito de abrir caminho.

Olhar a coisa na coisa: o seu significado íntimo como forma, sombra, aura, função. De agora em diante estudarei a profunda natureza morta dos objetos vistos com delicada superficialidade, e proposital, porque se não fosse superficial se afundaria em passado e futuro da coisa. Quero apenas o estado presente da coisa ou nascida da natureza e das coisas feitas pelo homem. Esse sentir é uma revolução para mim de tão nova. Nesse meu modo de olhar eu vejo a aura de Ângela.

Quando eu olho eu esqueço que eu sou eu, esqueço que tenho um rosto que vibra e transformo-me todo num só forte olhar. Ângela quando escreve na verdade escreve sobre sua própria aura: isso agora de repente notei. É inútil fixá-la porque é impossível vê-la. Só se consegue chegar à orla de sua aura. Apesar de ter corpo Ângela é intangível – tais as mutações umidamente brilhantes de sua personalidade.

Deixo-vos por ora debruçados sobre uma Ângela sonhadora que se pergunta inocente: como será a primeira primavera depois de minha morte?

Ângela – A "coisa" é coisa propriamente estritamente a "coisa". A coisa não é triste nem alegre: é coisa. A coisa tem em si um projeto. A coisa é exata. As coisas fazem o seguinte barulho: chpt! chpt! chpt! Uma coisa é um ser vivente estropiado. Não há nada mais só do que uma "coisa".

Em primeiro lugar existe a unidade dos seres pela qual cada coisa é uma consigo mesma – consiste em si, adere a si mesma. E assim chegamos à concepção corrente do cérebro como uma espécie de computador e dos seres humanos como simples autônomo consciente.

Autor – Ângela tem a espontaneidade de uma iniciativa ou é apenas o meu eco repetido em sete cavernas até morrer? Não é nada disso. O que é? O seguinte: eu só me ouço no eco repetido porque minha voz inicialmente se confunde comigo.

Ângela – Entrei num reino silencioso do que é feito pela mão vazia do homem: entrei no domínio da coisa. A aura é a seiva da coisa. Emanações fluídicas me cegam ofuscantes a visão. Tremo trêmula. Tremulo tremida. Há algo de esquálido no ar. Aspiro-o sôfrega. Quero impregnar-me toda com as físicas do que existe em matéria. A aura da coisa vem do avesso da coisa. Meu lado avesso é um esplendor de aveludada luz. Eu tenho telepatia com a coisa. Nossas auras se entrecruzam. A coisa é pelo avesso e contramão.

Autor – Ângela quer estar na moda. Fala-se muito atualmente de "aura". Então escreve sobre o assunto. Ela não tem culpa de ser uma pobre mulher que só tem dinheiro. Por que é que ela não escreve sobre "como saber se o mosquito é macho ou fêmea"?

Ângela – O espírito da coisa é a aura que rodeia as formas de seu corpo. É um halo. É um hálito. É um respirar. É uma manifestação. É o movimento liberto da coisa. Eu amo os objetos vibráteis na sua imobilidade assim como eu sou parte da grande energia do mundo. Tanta energia tenho eu, que ponho as coisas estáticas ou dotadas de movimento no mesmo plano energético. Tenho em mim, objeto que sou, um toque de santidade enigmática. Sinto-a em certos momentos vazios e faço milagres em mim mesma: o milagre do transitorial mudar de repente, a um leve toque em mim, a mudar de repente de sentimento e pensamentos, e o milagre de ver tudo claríssimo e oco: vejo a luminosidade sem tema, sem história, sem fatos. Faço grande esforço para não ter o pior dos sentimentos: o de que nada vale nada. E até o prazer é desimportante. Portanto me ocupo de coisas. Eu tenho um problema: é o seguinte: quanto tempo duram as coisas? Se eu deixar uma folha de papel num quarto fechado ela atinge a eternidade? Tem uma hora em que as coisas não acabam nunca mais. Sua aura é petrílica. Se bem cuidado, um pedaço de papel não acaba nunca. Ou se transforma? Pergunto-te em que reino estiveste de noite. E a resposta é: estive no reino do que é livre, respirei a magna solidão do escuro e debrucei-me à beira da lua. Noite alta fazia tal silêncio. Igual ao silêncio de um objeto pousado em cima de uma mesa: silêncio asséptico de "a coisa". Também existe grande silêncio no som de uma flauta: esta desenrola lonjuras de espaços ocos de negro silêncio até o fim do tempo.

Autor – Não quero violentar a alma de Ângela e quebrá-la em palavras soltas e sem conexão íntima: mas como abordá-la sem a invadir? como fazer um discurso do que não passa apenas de grito ou doçura ou nada ou doideira ou vago ideal? Será que sou obrigado a servir-me dela para manifestar um modo mais inconsequente que também tenho em mim? Eu que ao lado da vontade de método, desejo o riso ou o choro como chuvas passageiras de verão. Uma das provas de que uso indevidamente a vida esparsa de Ângela é que ela escreve de um modo que em verdade é meu. O fato é que vou aproveitar a espécie de audácia de Ângela para eu mesmo ousar um pouco louco mas com a garantia de "voltar".

Ângela – *"Mulher-Coisa".*
Eu sou matéria-prima não trabalhada. Eu também sou um objeto. Tenho todos os órgãos necessários, igual a qualquer ser humano. Eu sinto a minha aura que nesta friorenta manhã évermelha e altamente faiscante. Eu sou uma mu-

lher objeto e minha aura é vermelha vibrante e competente. Eu sou um objeto que vê outros objetos. Uns são meus irmãos e outros inimigos. Há também objeto que não diz nada. Eu sou um objeto que me sirvo de outros objetos, que os usufrui ou os rejeita. Meu rosto é um objeto tão visível que tenho vergonha. Entendo as belas mulheres árabes que têm a sabedoria de esconder nariz e boca com um véu ou um crepe branco. Ou roxo. Assim ficam de fora apenas os olhos que refletem outros objetos. O olhar ganha então um tão terrível mistério que parece um vórtice de abismo. Uso batom escarlate nos meus lábios: isto é a minha provocação. Tenho sobrancelhas que perguntam sem parar mas não insistem, são delicadas. Esse rosto-objeto tem um nariz pequeno e arredondado que serve a esse objeto que sou para farejar que nem cão de caça. Tenho uns segredos: meus olhos são verdes tão escuros que se confundem com o negro. Em fotografia desse rosto de que eu vos falo com certa solenidade os olhos se negam a ser verdes: fotografada sai uma cara estranha de olhos pretos e levemente orientais.

Um objeto pensa um outro objeto e nossas auras se confundem. E tenho, vos asseguro, tudo o mais que faz de mim uma mulher às vezes viva, às vezes objeto. Minha estupidez essencial no entanto quer fremir de luz, quer se nimbar de espírito. Minha pesadez precisa da aventura da adivinhação. Este ser que me chama à luz, como eu o bendirei! Eu me abrirei a ele na minha estupidez que é um bloco de granito.

Sinos de ouro badalam em mim sinos sagrados. E ficaram prontos meus reposteiros púrpura. A cor púrpura é abismal e não tem fundo. Sua intensidade nobre. Fico olhando e me aprofundando no sem-fim do coágulo velho como quando tento perfurar com os olhos uma densa matéria. Púrpura me deixa pensativa sonhadora e vazia.

Autor – Ângela tem mania de dar nome às coisas. Não sabe simplesmente senti-las sem pensar. Que seria de mim se não fosse Ângela? a mulher enigma que me faz sair do nada em direção à palavra.

Ângela – *"Mãe-Coisa".*
Eu me abri e você de mim nasceu. Um dia eu me abri e você nasceu para você mesmo. Quanto ouro correu. E quanto rico sangue se derramou. Mas valeu a pena: és pérola de meu coração que tem forma de sino de pura prata. Eu me esvaí. E tu nasceste. E me apaguei para que tu tivesses a liberdade de um deus. És pagão mas tens a bênção da mãe.
E. E a mãe sou eu.
Mãe túmida. Mãe seiva. Mãe árvore. Mãe que dá e nada pede de volta.
Mãe música de órgão.
Hasteia a bandeira, filho, na hora de minha sagrada morte. E dou tal profundo grito de horror e louvor que as coisas se partem à vibração de minha voz única. Choque de estrelas. Pelo enorme monstruoso telescópio me vês. E eu sou gélida e generosa como o mar. Morro. E venho de longe como o silente Ravel. Sou um retrato que te olha. Mas quando quiseres ficar só com a tua namorada-esposa cobre minha cara doce com um pano escuro e fosco – e eu nada verei. Eu sou mãe-coisa pendurada na parede com respeito e dor. Mas que funda alegria em ser mãe. Mãe é doida. É tão doida que dela nasceram filhos. Eu me alimento com ricas comidas e tu mamas em mim leite grosso e fosforescente. Eu sou o teu talismã.

Autor – Ângela, se controle para não escrever uma história lacrimogênica de um rapaz pobre com sua mãe morta.

Ângela – *"Biombo"*.
Meu biombo é feito de roliços cilindros de jacarandá. Eu quase diria que jacarandá é prata de lei. Como há um pequeno espaço entre um rolo e outro ele fica aberto às consequências. E sua fragilidade é perigosa. Porque quando cai – e cai a qualquer empurrão – quebra as plantas atrás dele. Meu biombo é o meu modo de olhar o mundo! entre-frechas.

Autor – Nessa minha falação e na falação de Ângela, nós dois transcendemos à burguesia que está em nós. O que me desespera é o fato-ideia de que Ângela é ambígua no seu existir: em parte é independente, em parte é a minha mulher escolhida por mim como uma filha eleita.
Bem, mas com este livro eu, parece que estou me emancipando. O que é bom e na hora certa. Essa quase emancipação me deixa também em pé e sozinho no mundo. Eu não tenho do que me nutrir: eu como a mim mesmo.

Ângela – *"Estado de Coisa"*.
O deserto é um modo de ser. É um estado-coisa. De dia é tórrido e sem nenhuma piedade. É a terra-coisa. A coisa seca em milhares e milhares de trilhões de grãos de areia. De noite? Como é gélido esse lençol de ar que se crispa trêmulo de frio intensíssimo de uma intensidade quase insuportável. A cor do deserto é uma não cor. As areias não são brancas, são cor de sujo. E as dunas, que como ecos se ondulam femininas. De dia o ar faísca. E há as miragens. Vê-se – por tanto querer ver – um oásis de terra úmida e fértil, palmeiras e água, sombra, enfim sombra para os olhos que ao sol doido se tornam verde-esmeralda. Mas quando se chega perto – bem: simplesmente não era. Não passava de uma criação do sol na cabeça descoberta. O corpo tem pena do corpo. Eu sou uma miragem: de tanto querer ver-me eu me vejo.

Ah, os areais do deserto do Saara me parecem longamente adormecidos, intransformáveis pelo passar dos dias e das noites. Se suas areias fossem brancas ou coloridas, elas teriam "fatos" e "acontecimentos", o que encurtaria o tempo. Mas da cor que são, nada acontece. E quando acontece, acontece um rígido cacto imóvel, grosso, intumescido, espinhento, eriçado, intratável. O cacto é cheio de raiva com dedos todos retorcidos e é impossível acarinhá-lo: ele te odeia em cada espinho espetado porque dói-lhe no corpo esse mesmo espinho cuja primeira espetada foi na sua própria grossa carne. Mas pode-se cortá-lo em pedaços e chupar-lhe a áspera seiva: leite de mãe severa. Para suavizar essa minha vida que pinga lenta de gota em gota – tenho o poder da miragem: vejo oásis úmidos que se desvanecem quando chego perto para buscar abrigo materno. Uma vida dura é uma vida que parece mais longa. Mas, mesmo assim, me surpreendo como é que hoje já é maio, se ontem era fevereiro? Cada minuto que vem é um milagre que não se repete.

Autor – Eu não tenho uma só resposta. Mas tenho mais perguntas do que outro homem pudesse responder.

Ângela – A expressão "jardim molhado" me dá uma alegria suave e um cântico espalhado de mim para mim. Também me umedecem as palavras "poço" e "caramanchão". Ah pudesse eu descrever a alegria mansa que me provocam, só então eu seria uma escritora. Ficaria tonta de prazer.

Autor – Ângela não escreve. Ela geme.

Ângela – Eu queria escrever luxuoso. Usar palavras que rebrilhassem molhadas e fossem peregrinas. Às vezes solenes em púrpura, às vezes abismais esmeraldas, às vezes leves na mais fina macia seda rendilhada. Queria escrever frases que me extradissessem, frases soltas: "a lua de madrugada", "jardins e jardins em sombra", "doçuras adstringentes do mel", "cristais que se quebram com musical fragor de desastre". Ou então usar palavras que me vêm do meu desconhecido: trapilíssima avante sine qua non masioty – ai de nós e você. Você é a minha vela acesa. Eu sou a Noite.

Autor – O que escrevo é um trabalho intenso e básico, tolo como certas experiências inúteis por não colaborarem com o futuro. O que Ângela escreve é de um supérfluo essencial porque à sua vida mesmo supérflua se segue uma liberdade para a frente e para trás: enquanto eu Ângela é sempre agora. A um agora segue-se outro agora e etc. e tal.

Ângela – *"O Indescritível"*.
Comprei uma coisa pela qual perdidamente me apaixonei: o preço não importa, esse objeto vale o ar.
Tem essa coisa uma base sólida de metal, muito concisa. Nesse cilindro faiscante há uma levíssima abertura. Nesta se põem hastes delicadas e finas. E em cima de cada haste fica em glória uma bolinha redonda e pequena que parece uma joia de prata de lei.
Esse objeto é mágico. Basta um sopro ou um leve toque de mão – e ele vibra todo se confundindo tremeluzente com o ar. É um objeto de lua ou de sol? parece uma boa notícia, parece um susto alegre, parece um "de repente". São trinta bolinhas e hastes. Mas você se engana: quando elas se põem a vibrar e a mexer-se parecem um delicado trilhão de bolinhas. Mais outra coisa ele tem: quando se acendem as luzes da sala, as bolinhas fazem sombra, verdejantes.
E tem mais: quando vibra resulta do leve entrechoque das bolinhas entre si – resultam umas notas musicais. E esse

objeto se for bem trabalhado e impulsionado canta ligeiro – ligeiro dó-ré-mi...

"Pegando a palavra". Pego a palavra e faço dela coisa.

Peguei a alegria e fiz dela como cristal brilhíssimo no ar. A alegria é um cristal. Nada precisa ter forma. Mas a coisa precisa estritamente dela para existir.

"Caixa de Prata"
Nunca lhe ocorreu ter pena de um objeto? Tenho uma caixa de prata de tamanho médio e sinto por ela piedade. Não sei o que nesse silente objeto imóvel me faz entender-lhe a solidão e o castigo da eternidade. Não ponho nada dentro da caixa para que ela não tenha carga.

E a tampa pesada encerra o vazio. Eu sempre ponho flores nas suas vizinhanças para que elas suavizem a vida-morte da caixa – as flores são também uma homenagem ao artesão anônimo que esculpiu em pesada prata de lei uma obra de arte.

"A Casa"
Este é um castelo de pedra maciça. Mas sua aura é um ninho de aluarada luz leve. Nele o sol brilha como um espelho.

A coisa maior que se pode ter é a casa. Beethoven compreendeu isso e fez uma abertura sinfônica resplandecente chamada "A Consagração da Casa". Ouvi esta música que me apoia às seis e trinta de uma manhã ainda meio adormecida. Ouvir essa música insólita me provocou um sonho delirante onde as coisas da casa andavam e se enfeitiçavam. Então pensei: preciso porque preciso de enormes corolas de fina pena suave mas selvagem para pôr na minha casa.

Olhei a pedra em cima da mesa. Era grande e muito pesada. Mergulhei em vaga meditação. Olhei-a. Quase preta. E inexorável.

Um dos modos de viver mais é o de usar os sentidos num campo que não é propriamente o deles. Por exemplo: eu vejo uma mesa de mármore que é naturalmente para ser vista. Mas eu passo a mão o mais sutilmente possível pela forma da mesa, sinto-lhe o frio, imagino-lhe um cheiro de "coisa" que o mármore deve ter, cheiro que para nós ultrapassa a barreira do faro e nós não conseguimos senti-lo pelo olfato, só podemos imaginá-lo.

O bule de chá tão esguio, elegante e cheio de graça. Sim, mas tudo isso num instante passa, e o que fica é um bule velho e um pouquinho lascado, objeto ordinário.

Autor – Não sei qual vai ser o clímax deste livro. Mas, à medida que Ângela for escrevendo, reconhecê-lo-ei.

Ângela – *"O Relógio"*.
Sente-se no relógio o tempo vibrando. Enquanto isso, isto é, enquanto eu olho as horas no relógio a vida vai se esvaindo e meu coração passa a ser um objeto que tremeluz. Se eu fosse Deus eu veria o homem, à sua distância, como coisa. Nós somos de uma fabricação divina.

O relógio é um objeto torturante: parece algemado ao tempo. Os ponteiros dos segundos, se a gente ficar olhando eles se mexerem mecanicamente e inexoravelmente, nos deixam fanáticos.

"Gradil de Ferro"
Intempéries.
Eu, deteriorada.
No fundo do pátio vi um gradil de ferro que não servia mais para nada, todo corroído e de ferrugem descascável. Detive-me olhando-o, sem me aproximar mais. Não sabia por que o olhava com tanta concentração. E de repente pareceu-me que o gradil me olhava. Ele era alto e erguia-se

com uma intensidade de coisa. Eu me senti consagrada. Depois dei um profundo suspiro com olhos fechados, e os reabri como se estivesse dormindo e enfim acordasse, esquecida do sonho, acordasse vinda de muito longe de dentro de mim mesma. Respirei profundamente e olhei de novo para o gradil esbelto. E ao olhar eis que vi que aquela coisa altiva não era nada, não me olhava, e atravessaria mais um século.

Autor – O processo que Ângela tem de escrever é o mesmo processo do ato de sonhar: vão-se formando imagens, cores, atos, e sobretudo uma atmosfera de sonho que parece uma cor e não uma palavra. Ela não sabe explicar-se. Ela só sabe é mesmo fazer e fazer sem se entender.

Ângela – *"O Carro".*
O fotógrafo Francis Giacobetti, da revista *Lui,* ocupa todas as horas do seu dia profissional a retratar despidas as mais bonitas garotas de Paris e arredores.
Perguntaram-lhe, para uma reportagem sobre nus publicada no último *L'Express,* o que ele mais gostava de fotografar, acima de tudo? "Não são as mulheres, não. São os caminhões. São bonitos, os caminhões..."
O grito vermelho.
O carro escarlate soltou um uivo púrpura. Essa "coisa" tinha buzina. E gritava chamando a atenção dos transeuntes. E de Deus. Essa "coisa" tem molas, tem borracha, tem rádio.

Autor – Ângela às vezes escreve frases que nada têm a ver com o que se estava falando. Creio que essas inopinadas interferências são como as estáticas elétricas que interferem e cruzam a música no rádio. Nela simplesmente se grudam as cruzadas elétricas do ar. E se isso acontece é porque ela não sabe escrever, escreve tudo, sem selecionar. Eu mesmo, se não tomar cuidado, às vezes me oponho à interferência elétrica e começo a falar de repente de um trator alaranjado. O trator que me ocorre é porque estou plagiando sem querer Ângela.

Ângela – Exemplo de frase enigmática e totalmente hermética como uma coisa fechada: "calibrar os pneus". Essas palavras me encantam e me seduzem. Calibrar é dar calibre, pois não? Sim. Então quando vejo num caminhão uma placa dizendo: "Inflamável" – então me encho de glória.

Um guindaste móvel montado sobre chassis Scania Vabis e com capacidade para 18 a 22 toneladas. Trata-se da "Girafa de Ferro", originalmente denominada "Hudra Truck 18/22-T e que está sendo fabricada no Brasil. Inicialmente, o plano de produção prevê três unidades mensais que passarão a cinco, no próximo ano, havendo grandes possibilidades de exportação".

Então vejo que o guindaste terá filhos e um dia povoarão a terra. Que será um mundo de objetos. Mas os objetos não querem mais ser objetos. É a revolta da "coisa". A catástrofe das coisas é uma barulheira estardalhada no ar. Só para os supersônicos.

Autor – Uma mecanização fatal faz com que Ângela veja mais as "coisas" e não os seres humanos.

Ângela – *"Vitrola"*.

No disco de vitrola as circunvoluções negras por um triz não se misturam com outros círculos mágicos: e daí sai a aura da música. Eu tenho aura musical. O disco eu o pego e perpasso de leve por pelos de meu braço e os pelos se arrepiam eriçados. É que sua aura toca a minha.

"Borboleta"
A mecânica da borboleta. Antes é o ovo. Depois este se quebra e sai um lagarto. Esse lagarto é hermeticamente fechado. Ele se isola em cima de uma folha. Dentro dele há um casulo. Mas o lagarto é opaco. Até que vai se tornando transparente. Sua aura resplandece, ele fica cheio de cores. Então da lagarta que se abre saem primeiro as perninhas frágeis. Depois sai a borboleta inteira. Então a borboleta abre lentamente suas asas sobre a folha – e sai a borboletear feito uma doidinha levíssima e alegríssima. Sua vida é breve mas intensa. Sua mecânica é matemática alta.
Vi uma borboleta negra. Ela me amaldiçoou.

Autor – Ela faz de uma borboleta uma epopeia. E é inortodoxa.

Ângela – É quase intolerável viver.
Eu vejo a morte sorrindo no teu rosto lindo como a marca fatal do rosto de Cristo no pano de Verônica.
Se a gente ficasse em silêncio – de repente nasce um ovo. Ovo alquímico. E eu nasço e estou partindo com meu belo bico a casca seca do ovo. Nasci! Nasci! Nasci!
A minha alma está quebrantada pelo desejo.
Ai jiló, você o que é? é coisa? amarga que nem a vida.
Vou experimentar tudo o que possa, não quero me ausentar do mundo.

Autor – Ângela – se realmente pudesse escrever – noticiaria ideias em bruto por ser incapaz de se dirigir a um leitor possível com a falta espontânea de ordem que usa para escrever este livro. Pensa que o contato com o leitor só se faz através de raciocínio complicado.

Ângela – *"Lata de Lixo"*.

A lata de lixo é um luxo. Por que quem não tem coisas para pôr fora na rua as coisas que não prestam? e no entanto temos uma vasilha própria para os dejetos. Se jogássemos o lixo na rua passaria a ser um problema federal. A sucata é o lixo mais bonito que existe.

"Eu sou limpa e não tenho cheiro. Mas por fatalidade me enchem de restos sujos e de imundícies. Só os vira-latas me entendem. 'Ela' me forra com papel de jornal: *"Jornal do Brasil"*. E eu impávida finjo que não tenho dono. Pontas de cigarro apagadas eu recebo. Um dia vou pegar fogo. De noite fico sozinha no escuro, vazia, pousada num canto do chão. Meu silêncio fede. Ai de mim, que sou o receptáculo da morte das coisas".

O número é-se.

A flor é de 14 de maio.

Números... é o que se esconde atrás dos teus mistérios, eflúvios secretos e secreções suculentas ou, quem sabe, pontiagudas e sibilantes perguntas sem resposta? O que escondem, nuvens?

Quanto ao mar. O mar é impossível de se acreditar. Só o imaginando é que se chega a ver sua realidade. Só como sonho possível o mar existe. Mas o sem fundo do mar desabrocha em mim com espanto de espantalho.

Um vaso com pálidas rosas já meio murchas é uma coisa fantasmagórica e que profundamente me assusta ao me pegar desprevenida. Elas ameaçam soltar no ar a própria aura que se torna fantasma.

E o quadro das rosas pintadas dão um sorriso. Tenho medo de rosas vivas porque elas são tão frágeis e frajolas e porque amarelecem. Mas pintadas no quadro não me assustam.

Ser só é um estado de ser. Aprendi isso com as coisas. É óbvio, é claro que as coisas têm tendência a ser sós. Mas um grupo estofado é tão solitário!

A poltrona é muda, é gorda, é aconchegante. Qualquer traseiro ela recebe igual. Ela é mãe. Já a quina da mesa é arma fatídica. Se você for jogado contra, você se dobra em dois de dor. Mesa redonda é sonsa. Mas não oferece perigo: ela é meio misteriosa, ela sorri ligeiramente.

Autor – Ângela tem uma qualidade invejável: ela é novidadeira em descrever as "coisas", parece dar uma boa notícia.

Ângela – Não se deve viver em luxo. No luxo a gente se torna um objeto que por sua vez tem objetos. Só se vê a "coisa" quando se leva uma vida monástica ou pelos menos sóbria. O espírito pode viver a pão e água.

O violino coisa muda exala música contida mas de olhos dormentes. Um violino que chega ao paroxismo do som agudo: a glória de ser.

Os palitos de fósforos fosforejam inquietos dentro da caixinha selada, doidos para o ato sexual que consiste em ser riscado na parte preta da caixa e transformar-se em fogo. Mas o fósforo não sabe que só acende e arde uma só vez.

"*A Joia*"
Ela refulge. Essa ela sem igual. Ela é sempre única. E tem sagrada cólera.

Mas quando é colar de pérolas brilha macia como uma piedade de Ave-Maria. Colar de pérolas precisa estar em contacto com a pele da gente para receber nosso calor. Senão fenece. Uma, duas, três, sete, quantos ovos peroláceos de madrepérola? E termina com um delicadíssimo fecho de brilhantes engastados em ouro branco.

Ouro branco? empalidece de terror: ameaça.

Enquanto que ouro-sol se dá todo aberto como uma glória de amor. Uma corrente longa de ouro escorrega por entre os dedos como água cálida de riacho entre pedregulhos ensolarados. Ouro-sol não se nega. Mas – mas, meu Deus, como é perigoso o lingote de ouro. Homens matam por um tijolo amarelo.

    Mulher se vende por um diamante. E ávida pede mais: quer uma estola bem larga de morno vison.

    Os brilhantes são pequenas alegrias em chuveiro de risos de crianças. São cascatinhas de água gelada em gargalhadinhas de tremor. Ai que frio. Eu prefiro brilhantes a diamantes. Não sei bem por quê: talvez porque a palavra "brilhante" parece brilhar mesmo com suas faíscas de luz oblíqua, é palavra que parece não se resumir a si mesma, a um brilhante, mas conter um chuveiro de brilhantes, como olhos iluminados e transparentes. Brilhantes são uma alegria da terra, são saltitantes e quando imóveis parecem estrelas. Aliás, brilhantes nunca são imóveis: sua luz cristalina é refratária à imobilidade. Um brilhante ilumina um ambiente e os olhos se tornam docemente aclarados. Mas um diamante é algo preso à terra, é sólido, e a palavra "diamante" é um pouco opaca apesar das duas primeiras sílabas: "dia". E o final "amante" denuncia um amor carnal e imperecível. O brilhante é poeticamente irresponsável, enquanto o diamante-pedra é circunspecto e estável.

    Mas o broche é sério. É um argumento. Lança-se no ar como uma mulher-gazela. Ele prende, ele pesa, ele espera. E quando é desfechado – tudo fica nu, caem os panos e os seios brancos parecem róseos. O broche é um ponto final.

    Exclamação são os brincos pendentes que tremelicam entre cabelos finos. Brinco feito de quê? feito de tudo o que sabe que faiscar é importantíssimo. Brincos são íssimos. E o brinco de uma única e modesta pérola é a violeta das joias.

Mas os brincos de brilhantes brigam e dão gritinhos que me espaventam. Eles se atritam, cruéis. Brinco de prata de lei é gravidade e é garantia de grande e severa segurança. Brinco de ouro é um "isto" qualquer, é um istozinho sem maior importância. A menos que seja bola redonda de ouro: então é posse e é atividade.

Instantâneo é o leve e breve anel de pérola. E quando são muitas as pérolas do anel – são um sorriso e são reticências. Entre parênteses é o anel de diamantes engastado em ouro branco porque diz em segredo um "eu-te-amo" em grego.

Autor – Noto com surpresa mas com resignação que Ângela está me comandando. Inclusive escreve melhor que eu. Agora os nossos modos de falar se entrecruzam e se confundem.

Ângela – O coral selvagem é pontudo e ilha de Capri ao sol. O colar de coral não se pode pegar em punhados na mão: fere a concha delicada dessa mão branca e nervosa.

Ao redor do pescoço, o colar de coral é coroa de espinhos de Cristo.

Ah! O diadema! Sou a rainha! Flamejo como coroa alta que sou. Os reis me usam em forma de capuz papal triangular. As princezinhas enfeitam com delicados diademas o rostinho fresco, inocente, mas capaz de crueldade. Maria Antonieta coroada e linda, meses antes de ter a cabeça decepada e rolada no chão da rua, disse alto e cantante: se o povo não tem pão por que não come bolo? E a resposta foi: allons enfants de la patrie, le jour de gloire est arrivé. O povo devorou o que pôde e comeu joias e comeu lixo e gargalhou. Enquanto isso o rosto branquíssimo de Maria Antonieta mostrava silêncio de pérola na cabeça sem cabelos e sem pescoço.

O jade me permite a divindade. Seu verde transpassável me santifica em bizantino ícone. Eu, de mãos postas e juntas diante de meu rosto sério e transparente e meu diadema então são as tranças entrelaçadas de meus vigorosos e tranquilos cabelos negros. O jade é a minha espada desembainhada pelo haraquiri de minha humilde alma orgulhosa que se mata porque tem muito pouco de tudo, é paupérrima, mas tem o orgulho soberano da morte.

Mas – mas só o diamante corta o vidro.

E agora vou dizer uma coisa muito séria, preste atenção: caco de vidro é joia rara. E o espatifo dele é som de se ouvir ajoelhado que nem som de sinos. Elegantes sinos que são coisas joias também. Sinos são as joias da igreja. E o badalo de sinos é um badalar de ouro que espatifa no ar brilhantes e pássaros azuis.

Cavalo de fogo é o rubi em que eu mergulho tão profundo que se me rompo toda.

E a esmeralda? Esmeralda é de se trincar com os dentes, e espatifá-la em mil trocinhos de verdes e miúdos filhos de esmeralda.

Topázio é a transparência de teu olhar.

A pedra? pedra que está no chão? É joia que veio do céu em turbilhão e ali parou até que eu viesse e a visse e a apanhasse e a apalpasse como coisa minha, coisa de meu coração.

E a safira? tem um reflexo que cega os olhos dos incautos que a compram como se fossem brilhantes. Eu nunca vi uma safira. Só sei por ouvir falar. Mas no dia em que eu me defrontar com uma safira – ah! vai ser espada contra espada e vamos ver se é de mim que o sangue há de jorrar.

A pulseira me escraviza, oh doce escravidão de mulher ao seu homem preferido.

Platina é a mais cara. Mas não te quero, és feroz na tua frieza branca. Prefiro joia barata de mulher pobre que com-

pra na feira seus brilhantes leivados da mais pura água dos esgotos turvos.
Ametista, eu não te beijo porque não sou a tua serva.
Ônix! príncipe negro das rosas, tu me amargas e nado nas águas – trevas da tua posse ferrenha, oh luto de rainha! aranha preta penugenta. Maldita sejas, pedra preta de sangue, coágulo de humores e miasmas.
Água-marinha? meu primeiro namoradinho tinha olhos azuis de água-marinha. Mas eu não chegava perto dele: tinha medo. Porque água quieta é água funda e me dava calafrios.
Joia
Frisson
Traição
Mas arrependimento profundo
E eu única descansando alerta no escrínio de veludo roxo.

Autor – Ângela – é claro – tem um consciente que não se dá bem com o seu inconsciente. Ela é dupla? e a vida dela é dupla? Assim: de um lado a atração pelo intelectualizado, de outro, é aquela que procura a escuridão aconchegante e misteriosa e livre, sem medo do perigo.

Ângela – *"Elevador".*
Meu elevador de súbito recusou-se a me elevar ou abaixar. Simplesmente passava entre um andar e outro, abria sozinho a porta e me dava de presente a bofetada de uma parede. Dias assim: amuado, zangado, vingativo. À toa porque ninguém lhe quis mal. A gente só lhe usava a energia. E ele se enervou e resolveu ser malcriado. Precisou de muito óleo e muito leva-atrás para ele se reconciliar com a gente e nos baixar e elevar.
O que eu não tolero é azáfama. O objeto é mudo, é sem azáfama.

Havia um olhar de ambiente do quarto para mim. Senti esse olhar como conforto misterioso. Quanto a saber como a rotação dos astros produz a inércia de meu cinzeiro – explique quem puder.

Autor – Ângela às vezes me nauseia o estômago como um ice-cream soda de chocolate.

Ângela – Ânsia da perplexidade. O céu é ar concentrado. É o abismo. Madeiras podres. Cuidado que a Natureza pensa.

Autor – Cuidado com o quê? e o que quer dizer com uma Natureza que pensa? Está é doida de varrer.

Ângela – Se pensa que somos feitos de cera você tem que pagar.

Autor – Para quem escreve, uma ideia sem palavras não é uma ideia. Ângela é cheia de pré-palavras e desmaiadas visões auditivas de ideias. Meu trabalho é cortar o seu balbucio e deixar anotado apenas o que ela consegue ao menos gaguejar.

Ângela – O homem se senta. Por quê? O sentar-se é algo adquirido lentamente por intermédio do processo através dos milênios? Ou faz parte da natureza humana? Assim como faz parte da natureza do pássaro voar? Deitar-se é diferente: menos os bichos de penas, todo animal se deita.

Eu às vezes tenho tanta pena das "coisas". A mesinha com tampo de mármore, coitada tão gelada e branca e pálida e em vão orgulhosa. Pensa que é nobre. E minha cesta de

papéis tão elegante e sóbria, de madeiras em tiras mas de que adianta sua beleza se está sempre no chão, sempre com papel amarrotado de cartas que não mandei.
Adeus, oh coisa.
Vou-me embora para o são-nunca.

Autor – Ângela não tem a ambição criadora que é feita de uma fome que nunca se plenifica. Descobrir uma nova maneira de viver. Creio que a chave está em ver a coisa na coisa, sem transbordar dela para frente ou para trás, fora do seu contexto. O resultado de um processo tão novo de olhar o momento que passa seria muitas vezes estranhar uma coisa como se pela primeira vez a víssemos. Olhar a coisa na coisa hipnotiza a pessoa que olha o ofuscante objeto olhado. Há um encontro meu e dessa coisa vibrando no ar. Mas o resultado desse olhar é uma sensação de oco, vazio, impenetrável e de plena identificação mútua. Deus me perdoe creio que estou divagando sobre o nada. Mas uma coisa eu tenho certeza, esse nada é o melhor personagem de um romance. Nesse vácuo do nada inserem-se fatos e coisas. O que se vê nesse modo de tornar tudo absolutamente do estado presente, o resultado não é mental: é uma forma muda de sentir absolutamente intraduzível por palavras.

Eu vou reler só superficialmente o que já escrevi e o que Ângela escreveu porque não quero me influenciar por mim mesmo, não quero copiar. Eu não quero imitar até mesmo a verdade. Talvez por ler apenas superficialmente o já escrito é que perco o fio e sai tudo fragmentário e desconexo. Ou então é desconexo porque eu falo de uma coisa que é do meu caminho, enquanto Ângela fala de outra coisa que é do seu destino. Mas, mesmo fragmentário e dissonante e desafinado, creio que existe em tudo isso uma ordem submersa. E! Existe uma vontade.

UTOR. – Estou apaixonado por um personagem que inventei: Ângela Pralini. Ei-la falando:

Ângela – Ah como eu gostaria de uma vida lânguida. Eu sou uma das intérpretes de Deus.

Autor – Quando Ângela pensa em Deus, será que ela se refere a Deus ou a mim?

Ângela – Quem faz minha vida? Sinto que alguém manda em mim e me destina. Como se alguém me criasse. Mas também sou livre e não obedeço ordens.

Autor – Ando bebendo demais. Quando se bebe, fica-se com o inconsciente a nu e só se pode sentir, sentir, sentir. Deus é uma coisa que se respira. Eu não tenho fé em Deus. A sorte é às vezes não ter fé. Pois assim um dia poderá ter A Grande Surpresa dos que não esperam milagres. Parece aliás que milagres acontecem como maná do céu sobretudo para quem em nada crê. E essas pessoas nem notam que foram privilegiadas. Cansei de pedir. Para que o milagre aconteça é preciso não esperá-lo. Nada mais quero. Eu sou a noite e Ele é o vaga-lume. Meu tema de vida é o nada. A realidade é muito estranha, é inteiramente irreal. Por que me abandonaste, meu Deus? Eu vivo me desculpando e vivo agradecendo.

Ângela deu a Deus o poder de curar sua alma. É um Deus de grande utilidade: pois quando Ângela sente Deus então a verdade terrivelmente exposta é imediata. Ângela usa Deus para respirar. Divide Deus por usá-lo como sua proteção. Ângela não é mística e nem vê o dourado do ar.

Ângela – Eu queria levar uma vida de asceta, de purificação, de exclusivo contato com o além. Mas como? Se eu ao mesmo tempo quero dinheiro para as minhas comodidades, quero um homem para a minha sensualidade, quero as pedras preciosas que são a gema da terra e que por isso também são sagradas? Minha dualidade me surpreende, estou tonta e infeliz. Ao mesmo tempo é uma riqueza ter o elemento céu-ar e o elemento terra-amor, sem que um atrapalhe o outro.

Na hora em que eu me captar – terei atingido a eternidade não importa que efêmera.

Deus não foi feito para nós. Nós é que fomos feitos para Ele. O jeito, embora Ele não cuide de nós, é adorá-lo e nas piores circunstâncias ter o coração pleno do prazer de louvá-lo.

Autor – Um homem imaginou Deus e fez uma cadeira, nessa cadeira deve estar um pouco da energia desse homem. Tal é o espírito das coisas feitas, coisas vividas.

Eu inventei Deus – e não acredito n'Ele. É como se eu escrevesse um poema sobre o nada e me visse de repente encarando frente a frente o próprio nada. Deus é uma palavra? Se for estou cheio dele: milhares de palavras metidas dentro de um jarro fechado e que às vezes eu abro – e me deslumbro. Deus-palavra é deslumbrador.

Ângela – Às vezes, só para me sentir vivendo, penso na morte. A morte me justifica.
Um objeto envelhece porque tem dentro de si dinâmica.
Em vez de dizer "o meu mundo", digo audaciosa: o mundo depende de mim. Porque se eu não existir, cessa em mim o Universo. Será que depois da morte começa a abstração?
Eu, reduzida a uma palavra? mas que palavra me representa? De uma coisa sei: eu não sou o meu nome. O meu nome pertence aos que me chamam. Mas, meu nome íntimo é: zero. É um eterno começo permanentemente interrompido pela minha consciência de começo.
Deus não é o princípio e não é o fim. É sempre o meio.

Autor – Participo da inquietação tremulante de Ângela mas não a imito.

Ângela – Sou fraca, dúbia, há uma charlatã dentro de mim embora eu fale a verdade. E sinto-me culpada de tudo. Eu que tenho crises de cólera, "cóleras sagradas". E não encontro o recolhimento da paz. Por piedade, me deixem viver! eu peço pouco, é quase nada mas é um tudo! paz, paz, paz! Não, meu Deus, não quero ter paz com ponto de exclamação. Quero apenas o mínimo seguinte: paz. Assim, bem, bem devagarzinho... assim... quase dormindo... isto... isto... está quase vindo... Não me assustem, sou assustadíssima.

Ela é a palavra bem aplicada. E eu rolando no espaço como um bebê sem gravidade. Cadê minha gravidade? Ou é gravitação que se diz? Me dá um pouso se me faz favor. Eu não sou para se acreditar. É para se imaginar e não conseguir. Me dá vontade de falar errado. Assim: Sued. Isto quer dizer Deus.

Autor – Ângela não sabe viver gradualmente: ela quer comer a vida de uma vez. E aí lhe sobra tempo vazio. A meditação dentro do vazio é o que ela consegue, estando no último estágio humano antes de nossas vidas que são sem exceção alguma gloriosas.
Águia solitária.
Viver é um hobby para ela. Acha que não tem nada a ver consigo mesma e vive jogada à margem, sem passado e sem futuro; só hoje sempre.

Ângela – O que está me sucedendo é a Graça? Porque o corpo eu não o sinto, ele não me pesa, nem deseja, o espírito não se contorce e não busca, envolve-me uma aura luminosa de silêncio: pairo no ar, livre do tempo mas plenamente neste próprio instante, sem antes nem depois. Me recebo e o mundo não me toca. Para eu ser duas e haver a participação do estado, olho-me ao espelho, olho a outra de mim. E vejo que minha aparência fluida tem a graça do flutuante rosto humano. Então sinto com um prazer delicadíssimo que sou una. E um ar de verdade. Estou finalmente descalça.
Fiz o que era mais urgente: uma prece.
Rezo para achar o meu verdadeiro caminho. Mas descobri que não me entrego totalmente à prece, parece-me que sei que o verdadeiro caminho é com dor. Há uma lei secreta e para mim incompreensível: só através do sofrimento se encontra a felicidade. Tenho medo de mim pois

sou sempre apta a poder sofrer. Se eu não me amar estarei perdida – porque ninguém me ama a ponto de ser eu, de me ser. Tenho que me querer para dar alguma coisa a mim. Tenho que valer alguma coisa? Oh protegei-me de mim mesma, que me persigo. Valho qualquer coisa em relação aos outros – mas em relação a mim, sou nada. É tão bom ter a quem pedir. Nem me incomodo muito se eu não for totalmente atendida. Eu peço a Deus para eu ser mais bonita – e não é que meu olho faísca ao mesmo tempo que meu lábios parecem mais doces e cheios? Eu peço a Deus tudo o que eu quero e preciso. É o que me cabe. Ser ou não ser atendida – isso não me cabe a mim, isto já é matéria-mágica que se me dá ou se retrai. Obstinada, eu rezo. Eu não tenho o poder. Tenho a prece.

 Autor – Estou tão em contato com Deus que nem preciso rezar. É natural que Ângela se pareça um pouco comigo. Inclusive contagiei-a com a crença misteriosa que tenho.

 Eu tenho medo de ser quem eu sou.

 Há um silêncio total dentro de mim. Assusto-me. Como explicar que esse silêncio é aquele que chamo de o Desconhecido. Tenho medo Dele. Não porque pudesse Ele infantilmente me castigar (castigo é coisa de homens). É um medo que vem do que me ultrapassa. E que é eu também. Porque é grande a minha grandeza. Não vivo perigosamente em fatos. Vivo em extremo perigo quando sozinho caio em profunda meditação. É quando perigosamente fico isento até de Deus. E isento até de mim. À beira de um precipício abismado no seco alto de um penhasco. E como coisa vive junto a mim – apenas o cacto com coroa de espinhos de uma natureza que me abandonou. Estou só de mim.

 Eu vivia me perdendo dentro de mim. Tenho que ter paciência de santo. Eu sou um homem que escolheu o silêncio. Tive que amar a um ser puro.

Ah, melancolia de ter sido criado. Antes tivesse eu permanecido na imanescência da natureza. Ah, sabedoria divina que me faz mover-me sem que eu saiba para que servem as pernas.

Será que Deus sabe que existe? Acho que Deus não sabe que existe. Tenho quase a certeza de que não. E daí vem a sua veemente força.

Hoje chorei muito e meus olhos ficaram inchados e vermelhos. Mas valeu a pena. Nem me pergunto porque chorei.

O pior é que sou vice-versa e em ziguezague. Sou inconcludente. Mas é preciso me amar como involuntariamente sou. Apenas me responsabilizo pelo que há de voluntário em mim e que é muito pouco.

Eu não entendo, portanto acredito. Eu acredito "em quê".

Sabe o que é Deus? Deus é o tempo. Eu mal faço parte desse itinerário para o Nada. Pergunto-me com insistência já meio mórbida por que nasci. Juro que não vale a pena alguém ser eu. Quanto a Ângela, ela segue a moda. Por exemplo: fala-se atualmente muito em "condição humana", "vivência", "aura". Por que diabo é que ela em vez de querer dominar os objetos não se dedica a procurar saber se o inseto é macho ou fêmea? Mulher tem isso, o problema de acompanhar a moda. Não sei qual é a moda atual mas sei que é hora de sexo e violência. Eu mesmo só vou assistir filmes de terror. Existe uma guerra fria que está acabando com a minha vida.

O tempo é o indefinível. Eu me coloco bem depressa no tempo, antes de morrer. A vida é muito rápida, quando se vê, se chegou ao fim. E ainda por cima somos obrigados a amar a Deus.

Tem uma passagem estreita dentro de mim, tão estreita que suas paredes me lanham toda, mas essa passagem desemboca na largura de Deus. Nem sempre tenho força para atravessar esse deserto sangrento, mesmo sabendo que, se me forçar a me doer todo entre as paredes, mesmo sabendo que desembocarei para a luz aberta de um dia trêmulo de sol macio.

Ângela – Fui trêmula ao encontro de mim – e achei uma tola mulher que se debate dentro das paredes de existir. Rompo as comportas e me crio nova. Aí então eu posso me encontrar com eu, em pé de igualdade.
Eu me consagrei a Deus?

Autor – Eu, vigilante como uma vela acesa. Vigiando os mistérios de Ângela.
Ângela não sabe definir. Por isso para ela o mundo é muito mais vasto que o meu. Não é que eu saiba definir mas tenho consciência dos limites e limitar-se torna mais fácil uma possível definição.
Ângela tem um dom que me comove: o dom do erro. Sua vida é toda um engano. O modo como ela percebe que algo nela está errado, e muito gravemente errado é a sua inquietação, sua permanente desconfiança. Ela vive de soslaio. Outro modo de ela sentir que há um erro básico na sua vida está na sua humildade e na sua inocência. Os maus é que têm que ser perdoados. Os inocentes têm em si mesmos o perdão.
Eu não me aprovo porque mal consigo viver comigo mesmo. Faço quase o impossível para ter isenção. Isenção de mim. Estou quase atingindo esse estado de beatitude.

Ângela – Comprei hoje um vestido longo com tons de verde-esmeralda, vermelho-escarlate, branco-gritante, preto-severo, azul-rei, amarelo-doido.
Deus é como ouvir música: repleta o ser.

Autor – Ela não parece ter o que se costuma chamar de "sentimentos elevados". É egoísta e cobiçosa. Não larga as pessoas em parte por amor, em parte por não saber romper – mas em parte pelo conforto material quase de luxo que elas lhe dão. É feliz nos brilhantes que esporadicamente ganha.

Ela não é imóvel: suas imperfeições atuantes lhe dão grande mobilidade. No próprio pecado Ângela se encontra com seu Deus. É frívola. Tudo o que toca vira frívolo. Mas quando eu lhe digo isso, argumenta com um texto que copiou das *Seleções* do Readers Digest: "Joseph Ayden, ao ser criticado pela ligeireza de sua música, sorria: Não posso evitá-la. Apenas transmito o que sinto. Quando penso no Criador, meu coração se enche de tanta alegria que as notas brotam de meus dedos como num gesto, e como eu tenho um coração jovial, sei que Ele me perdoará se eu O servir festivamente."

Descobri por que soprei na carne de Ângela, foi para ter a quem odiar. Eu a odeio. Ela representa a minha terrível fé que renasce todos os dias de madrugada. E é frustrador ter fé. Odeio essa criatura que simplesmente parece acreditar. Estou enjoado de seu Deus vazio que ela preenche com êxtases nervosos. Quando começou o ódio em mim a acontecer e a viver? E fico todo tonto com os eflúvios de um sentimento que eu ignorava em mim até se bem me lembro.

Será que quero Ângela Pralini para desenvolver um sentimento que é ardente e insone, o sentimento de ódio que preciso agora exercer porque ela me ensinou a odiar? Estamos como ligados para sempre? eu a quero. Sei que um dia me afastarei dela, mas meu medo é não esquecê-la e ficar com essa mancha escura na minha alma. Alma essa que está sempre surpreendida com a novidade do sentimento.

Pois banho-me todo nessa escuridão devorante, quero conhecer a profundeza de meu ódio. Quero conhecer todos os sentimentos. Uma pessoa tem que ter experimentado em si mesma essa força maldita para ser uma pessoa completa? Não sei, mas é demoníaco.

Estou fazendo uma envergonhada confissão: é bom odiá-la. Minha alma, assassina em potencial, conhece então as escuridões ricas de sangue, e isso que conheço me faz sentir o pior de mim mesmo. E, sim, é rica a alma assassina. Pergunto-me às vezes se ela quer que eu a mate para me levar ao cúmulo do ódio. É melhor esquecê-la porque senão meu próprio sangue me dói e me encherei de uma revolta negra sem ao menos saber contra o quê, mentira minha eu bem sei contra que me revolto. Só que não se pode dizer.

Fico tenso em relação à espécie de relaxamento em que Ângela vive. Não consigo alcançá-la – ela ora me foge, ora fica ao alcance de minhas mãos – e quando penso que está ao meu alcance, ela se subleva, intrínseca.

O tempo não é mensurável.

Ângela não faz planos. E se assusta consigo mesma pois é sempre novidade. Ela às vezes se refugia em ninho impenetrável. Por exemplo: exatamente agora perdi-a de vista e não sei onde ela vive (escondida dentro de mim num canto meu escuro?). E não sei mais o que ela vai dizer. Confio no seu ímpeto imprevisível.

Ângela Pralini é às vezes desvencilhada e suavemente aguda como as vozes de meninos cantores executando cantatas de Bach, ou coro de monges. Ângela é meu exercício vocal.

Ângela, não sei como te dizer e começar, sem te ferir. Mas eu não te aguento mais. Vou inventar depressa outra mulher. Uma que não seja mágica como você, uma em quem eu ande pisando terra e comendo carne. Quero mulher de verdade. Estou cansado de mentir.

Vou inventar uma mulher una, que seja organizada e lógica, que tenha uma propensão como a de uma cirurgiã. Ou mesmo que seja advogada. E que na cama seja límpida e sem pecado. Vou viver com ela. Dá mais segurança do que com Ângela. O que me cansa é que ela é indomesticável. Tem um falso equilíbrio de forças opostas. Tem medo – com razão – de ficar de um momento para outro, manca de espírito. Que posso fazer se ela é anárquica? Senão imitá-la pois ela é mais forte do que eu: eu sou produto de um pensamento, ela não é produto: é ela toda. Ela rompeu meu sistema. Ela é minha ancestral e tão pré--história minha que chega a ser inumana, embora escreva com falsa ordem.

Ângela é meu afrodisíaco.

Ângela não me parece ter sutilezas. Ela me escandaliza um pouco. Porque é mais livre do que eu.

Nossa extrema miséria.

Quero entender é uma das piores coisas que podiam me acontecer. Mas através da inocência de Ângela estou aprendendo a não saber só de mim.

Estou exausto de Ângela. E de mim sobretudo. Preciso ficar só de mim, a ponto de não contar nem com Deus. Para isso, deixo em branco uma página ou o resto do livro – voltarei quando puder.

OLTEI. É QUE A pungência de Ângela Pralini me chamou. Diante dela – como diante de uma "obra-prima" – sinto um quase intolerável aperto no coração, uma vontade de fugir da emoção. Sinto isso com filmes de Fellini. O que a nossa imaginação cria se parece com o processo que Deus tem de criar.

Ângela – Refugio-me na loucura porque não me resta o chato meio-termo do estado de coisas comum. Quero ver coisas novas – e isso eu só conseguirei se não tiver mais medo da loucura.
A vida é pouco a pouco. Hoje dou meio passo, depois de amanhã dou mais meio passo. Que impaciência. Querer engolir a vida de um só trago e depois talvez algo como morrer. Mas meu próprio sangue é lento.
Eu quero mostrar a mim mesma o mais sujo e mais baixo de mim – e aí eu só então me perdoar. Quero que me

perdoem eu ser tão cheia de sensualidade que é um grito animal dentro de mim, um gosto de voz aguda de lobo desejando a presa, eu! eu que aspiro à grande desordem dos desejos vis e as trevas que me possuem no orgasmo apocalíptico de meu existir. Meu existir é vítima de uma fatalidade. Isto é: eu sou, oh coitada de mim humana e fraca e carente e pedinte e esmoler. Quero o teu sorriso, quero o teu afago de veludo, quero a luta corpo a corpo, tão íntimos os dois, tão crianças ingênuas e perdidas.

Eu clamo pela absolvição! Oh Deus poderoso, me perdoe a minha vida errada e de péssimos hábitos de sentir, me perdoe em existir em gozo tão luxuriante e sensual da absorção dos miasmas do corpo a corpo. Quero abismo para ti e receber-te como uma rainha de Sabá. Meus desejos são baixos? ai de mim, que tenho infeliz corpo insatisfeito. Oh Deus dos desesperados, me ache, você tem poder para distinguir a minha pequena parte nobre que mal faísca entre o comum cascalho, me ache! Agora! Já! Ah... Ah... Ah... me achou... Como voa a alma que acaba de ser libertada há instantes pelo encontro de mim! Deus me ACHOU. ALELUIA! Aleluia! E achei Deus na minha mais profunda inconsciência, na espécie de estado de coma em que vivo eu consegui balbuciar a visão do Deus – em mim mesma! Eu, também escolhida pela piedade divina. Que glória. Ah, mas que glória.

E a morte já não pode mais comigo porque EU NÃO TENHO MAIS MEDO! Nado e refuljo em estados de vibratória fruição divina. Agora entendo: eu antes estava tentando abrir caminho entre trevas só sabendo implorar. Mas só quando eu me tornei nua as portas do céu e da percepção abriram-se par a par para me deixar passar. Eu que sou tão faísca. Eis portanto que me uno a Ti e não me castigo mais. Borbulho tranquilinhazinha, ai de mim. Foi assim que sucedeu: quando vi que não mais aguentava o peso de mim, fui para a cama e encolhida ao máximo em posição fetal, isto: reduzida a zero, sendo portanto obrigada a me entregar ao que me viesse, já que eu não sabia a resposta do que eu perguntava, ardente eu de uma espécie de febre interior. Então – ao ter que me entregar ao Nada – aconteceu o milagre: senti como alimento no gosto da boca o sabor do Tudo. Esse sabor espalhou-se como luz e sensação de gosto pelo corpo todo, e eu me entreguei a Deus, com delírio de uma alma que bebesse água.

Ah, como é ampla a eternidade. Pois foi isso o que eu vi: a amplidão serena da eternidade, o gosto do eterno. Então o corpo antes todo fraco e trêmulo tomou um vigor de recém-nascido no seu primeiro grito esplástico no mundo da luz. E toda me tornei forte e fremente como um talo altaneiro de louro trigo. Assim, de pé como o talo de trigo porque era assim, com nobreza natural, que eu podia enfrentar a grandeza do Deus. De pé como um talo de trigo, jorrei-me em Ti e livrei-me de ter alma particular. Eu era a alma geral do mundo. Eu não estava mais só: eu me havia encontrado na companhia íntima e fulgurante de Deus. Brancura. Infinita transparência. E meu corpo irradiava-se em círculos de luz. Da luz que me recebe. E eu, nua como uma recém-nascida, voltei a Deus. E essa volta de filho pródigo que eu era me ungia toda, ungia o talo frágil e forte de trigo que eu era. E Deus era o detector de almas perdidas. E eu que antes não aguentava a sensação de plenitude de mim mesma, pensando com medo que esse encontro era grandioso demais e me aniquilaria. Pobre de mim: dirigi-me a mim mesma como uma escrava enfeitada de guirlandas para agradar-me como escrava – e encontrei a simplicidade e a nudez de uma rainha, que por ter tudo, não precisa de mais nada. Abençoa-me, Deus: estou te estendendo uma boca arranhada pela febre de uma longa sede, estou te estendendo minhas quatro patas estraçalhadas até o sangue nessa minha procura de me agarrar a Ti. Vem e plenifica--me toda com a tua grande luz sossegada, Amém, eu dona de nada, enfim, bafejada enfim por um sono infantil, pela rósea saúde da alma, que se emana de mim para mim mesma e enobrece meu modo de existir, eu, vestal sagrada, drogada pela essência da eternidade, eu bafejada pela sorte da penúria extrema que, por não se aguentar mais como dar, se torna riqueza. Não preciso mais pedir: Deus dá. Eu que respirei do meu próprio nutriente hálito morno como criança metida sob lençóis e agasalhada contra o medo. Alguma coisa me tocou no ombro e me chamou e eu não reconheci que era Deus e tive medo da grande solidão e do grande silêncio que se abrem na alma quando esta vai recebê-los. Eu tive medo de minha própria grandeza simples de pessoa humana. Eu já tive e experimentei um pouco de todas as torturadas baixezas e ambições humanas – estou agora quase livre do "pecado" da alma. Posso enfim me dar ao luxo de estar liberta de mim mesma e começar a sentir certa olímpica paz.

Viver me deixa tão nervosa, tão à beira de. Tomo calmantes só pelo fato de estar viva: o calmante me mata parcialmente e embota um pouco o aço demasiado agudo da minha lâmina de vida. Eu deixo de fremir um pouco. E passo a um estágio mais contemplativo.

Autor – Acho que o ponto alto de Ângela, um de seus clímaces, é este instante "místico". Só Ângela poderá um dia saber se foi místico ou de mistificação. De qualquer jeito, ao que parece, Ângela ligou-se à existência de uma realidade de vida à qual não é comum aderir-se porque o cotidiano mata muitas vezes a transcendência. A realidade é fragmentária. Só é una a realidade do ultrassom e ultraluz do infinito.

Talvez a "união de Ângela com o Tudo!" não passe de um grande autoconhecimento e de uma grande aceitação.

Ângela – Estou ainda semimergulhada nas sensações místicas. Bebi um pouco demais dessa forte bebida, fiquei um pouco embriagada. Nada contarei do que me aconteceu, pois, emvez de misticismo, podem falar que é mistificação. Ao mesmo tempo que eu recebia o Deus, eu estava toda pelo avesso e também sentia que além de Deus eu mesma fizera brotar em mim a crença vinda de minha escuridão medieval. E eu, flor trêmula.

Eu não gosto de me explicar. Prefiro a penumbra do não saber.

Eu vivo em êxtases provisórios. Vivo dos dejetos de naufrágio que o mar rejeita para a praia.

Autor – Tudo o que Ângela não entende ela chama de Deus. Ela venera o Desconhecido.

Esse êxtase de iluminação me deixa desconfiado. É espírito tomando posse plena dele mesmo até as suas últimas fríngias? Ou é corpo de mulher levado ao ponto de crise e depois de miragens fora de si mas que representam um "jogar para fora" por uns instantes a noção de baixeza e de pecado? liberta do corpo por ter enfim o admitido, ela, livre da carga pesada da sensualidade, aceitou a ideia da união íntima de dois corpos – livre, desencadeia-se a grande largueza do universo, universo que tem sua voz no silêncio absoluto e espraiado, silêncio trazido pelo ar que respiramos.

Essa iluminação de Ângela não consegue se evidenciar em palavras. Assim como a palavra "olfato" tenta exprimir pobremente o que se chama "olfato". Não há palavras puras de si mesmas. Elas vêm sempre misturadas ao seguinte: "não sei o que se passa comigo".

Estou acreditando que o estado de graça de Ângela seja talvez verdadeiro porque a "iluminação" se deu exatamente após um sentimento de abandono total e sofrimento. Santa Catarina de Gênova dizia que "quando Deus quer penetrar uma alma, abandona-a antes completamente".

Ela atingiu um êxtase ao perder a multiplicidade ilusória das coisas do mundo e ao passar a sentir tudo como uno.

É alguma coisa que é alimentada nas raízes plantadas na escuridão da alma e sobe até atingir uma "consciência" que no fundo é luz sobrenatural e milagre.

O que Ângela desconhece a ilumina e a domina mais do que aquilo que ela conhece. Não é um conhecer com consequências. Na verdade ela nem sabe o que fazer com o que conhece.

Ângela – Hoje senti algo absolutamente terrível. Senti que eu não sou compreendida por Deus.

Autor – Quem fica atento ao ritual da fé pode perder o objetivo da fé.

Às vezes os que não creem estão mais aptos a receber como faiscante milagre o maná que cai de nenhum lugar. Esse "nenhum lugar" é o ar. E o ar é o que os outros chamam Deus. Eu chamo Deus como ele quer ser chamado. É assim: eu abro a boca e como modo de chamá-lo deixo sair de mim um som. Este som é simples. E tem a ver com o sopro vital. O som limita-se a ser apenas o seguinte: Ah...

Ah... a absoluta indiferença bondadosa e arguta... Ah... e é em direção a esse Ah que nós como numa respiração vamos com nosso Ah de encontro a Ele.

É uma questão de fôlego de sopro vital.

Meditar é um vício, pega-se o gosto.

E o resultado da meditação é Ah, o que faz de nós deuses. Está muito bem mas agora me diga para que sermos Deuses ou Humanos?

Parece que nos apraz poder dizer Ah. Então termino atravessado pela voz de Deus e aqui digo como quem sopra leve: Ah...

A gente nasceu para gozar este Ah, será que ser me basta? Não sei. Não sei do que estou falando.

A planta precisa de água, luz-calor-terra-ar para justificar ser, e nós será que o Ah nos justifica?

Tem alguém que espera atrás de nosso ombro esquerdo para nos tocar e para que digamos Ah...

Quando eu digo te amo, estou me amando em você.

Não sou relativo sou infinito por isso em cada ser me reflito em cada ser me encontro.

A coisa mais perfeita que existe no universo é o ar. O ar é o Deus acessível a nós. Quando falo em coisas não estou coisificando a vida, e sim humanizando o que é inerte. Isso tudo é como eu já disse outrora, jogo limpo. Não escondo nenhuma das cartas. E se tenho algum estilo, este que venha e apareça porque eu não vou em busca dele.

Todo nascimento supõe um rompimento.

Eu fui convidado para assistir um parto mas não tenho força de assistir o dramático nascimento da aurora nas montanhas quando o sol é de fogo.

Todo nascimento é uma crueldade. Devia-se deixar dormir o que quer dormir.

Minha maldade vem do mau acomodamento da alma no corpo. Ela é apertada, falta-lhe espaço interior.

Ela é que não se deixou dobrar nenhuma vez em quatro patas pela dor de existir, essa dor a que de vez em quando devemos obedecer para continuar a viver como um bom burguês.

Pergunto a Deus: por que os outros? E Ele me responde: por que você? às nossas perguntas Deus responde com pergunta maior e assim nos alargamos em espasmos para uma criança em nós nascer. Mas – mas paz sobre a terra e tranquila luz no ar. Deus que é o nada-tudo rebrilha numa fulgência suave de um eterno presente, durmamos pois até a semana que vem.

E eu? Será que não serei meu próprio personagem? Será que eu me invento? Só sei de mim que eu sou o produto de um pai e de uma mãe. É tudo que sei sobre a criação e a vida.

Nós queremos penetrar no reino de Deus pelos pecados porque se não fosse o pecado não haveria perdão e não conseguiría-mos chegar até Ele.

Refugiei-me na doideira porque a razão não me bastava.

Eu espero o que está acontecendo. Este é meu único futuro e passado.

Um dia o aconchego em Deus e por ínfimo que tenha sido aprendemos isso de estar no regaço morno quando nascemos.

Não servir de nada é a liberdade. Ter um sentido seria nos amesquinhar, nós somos gratuitamente apenas pelo prazer de ser.

E do futuro esperaremos conscientes a falta de sentido, uma liberdade no dizer, no sentir Ah...

Felicidade se resume em sentir com alívio um Ah, então ergamos as nossas taças e modestamente brindemos um Ah a Deus.

Se bem que me custe terminar dói tanto a despedida não é? Bem porque em mim dói Ah.

Para que Deus?

Por que não ficar sentada fumando e morrendo de fome Ah é porque você quer poder dizer Ah.
A gente existe só para ter alívio? Eu presto atenção só por prestar atenção: no fundo não quero saber.
Não quero nada.
Deus é abstrato. Esta é a nossa tragédia.
Eu sou como as cigarras que explodem de tanto cantar. Quando é que explodirei? Que canto eu? Canto o esplendor de se morrer? Canto o meu amor que de tão vivo se estrebucha? Canto a feitiçaria no ar? Canto as moléculas do ar?
Assusta-me minha potência que no entanto é limbada: eu poderia me matar de tanto desespero pelo desespero? Não. Eu recuso matar-me. Quero viver até me tornar um ser velho, meditativo, comatoso de lucidez mais profunda até indizível e inalcançável do semicoma senil. Este semicoma senil se assemelha a um quase sono dormente das supercamadas da consciência. Nesse estado – adivinho eu baseada em olhares que vi em velhos móveis ecinzentos – nesse estado se consegue responder perguntas e mesmo conversas: as superfinalidades do homem vivente são fáceis de serem exe cutadas.
O difícil e finalmente atingível é a semi-inconsciente letargia e atual – sem passado nem futuro: como para um drogado de morfina. É um estado de verdade inelutável e sem frases. Este estado é leitoso e azulado com pontilhaços rubros e faiscantes.
Eu te escrevo para que além da superfície íntima em que vivemos conheças o meu prolongado uivo de lobo nas montanhas.
Eu me destilei todo: estou limpo que nem água de chuva.

Quinta-essência.

Transfiguração.

O autor que tenha medo da popularidade, senão será derrotado pelo triunfo. Tem uma hora em que se deve tirar retrato de si mesmo. A fome é sempre igual à primeira fome. A carência se renova inteira e vazia.

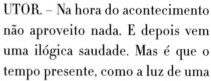utor. – Na hora do acontecimento não aproveito nada. E depois vem uma ilógica saudade. Mas é que o tempo presente, como a luz de uma estrela, só depois é que me atingirá em anos-luz. Na hora não chego a perceber do que se trata. Parece-me que só sou sensível e alerta na recordação. Quase que vivo, pois, no passado por não reconhecer a espécie de riqueza do momento atual. O esquecimento das coisas é minha válvula de escape. Esqueço muito por necessidade. Inclusive estou tentando e conseguindo esquecer-me de mim mesmo, de mim minutos antes, de mim esqueço o meu futuro. Sou nu.

Ângela –Quando me pergunto se o futuro me preocupa, respondo atônita ou fazendo-me de fingida: o futuro? mas que futuro? o futuro não existe. Sou complicada? Não, eu sou simples como Bach!

Eu tenho medo do instante que é sempre único. Hoje, entrando em casa, dei um profundíssimo suspiro como se tivesse chegado de longa e difícil jornada. Pessoas desaparecidas. Onde estão? Quando alguém souber delas telefone para a Rádio Tupi. Cadê o desaparecido Francisco Paulo Mendes? Morreu? Me abandonou, achou que eu era muito importante... E as muralhas da China? Antes de Cristo quero vê-las. Eu quero dez anos de garantia. Tenho medo de ter fim trágico. Estou com fome. E então como três pétalas de rosa amarela.

Ah, a vida íntima que eu tenho comigo não me basta pois morcegos e vampiros gritam meu nome: Ângela! Ângela! Ângela! E eu atravesso espaços incomensuráveis para atingir a época em que vivo, eu que vim de longe. Há coisas secretas que eu sei como fazê-las. Por exemplo: ficar sentada sentindo o Tempo. Estou no presente? Ou estou no passado? E se eu estivesse no futuro? Que glória. Ou sou um estilhaço de coisa, portanto sem tempo. Falta enredo e suspense e mistério e ponto culminante o sentido de tempo decorrendo.

Eu me lembro do futuro. Harmonia é prever um instante-já a frase musical que vem. O trem das trevas liga o comércio ao comércio. Conclave e patrocínio. Oh! a maravilha das madrugadas. Até sábado eu vivo. E não vou ser atropelada. Que bom. O mundo em foco. O ano seguinte existe? Estado de emergência?

Autor – ou o profeta de ontem.
A alegria da vida é.

Ângela – Duas horas e vinte minutos não é hora para nada sobretudo no sábado.
Eu tremo ao pensar entre parênteses, oh meu Deus, cuidado: vou falar no ano 3000 – socorro! E o ano 40000? Estou com medo.

No ano 40000 estou tão morta. Que nem você. Cuidado, muito cuidado, meu senhor. Socorro, oh céu azul inclemente. Eu disse o mais calminha que pude: socorro. Está ficando escuro. E eu sem comida nem bebida. Fiquei histérica, desculpe. Sou por acaso por avesso? Não, que Deus me acuda. Quero ser pelo lado direito, está bem? Mas está tão difícil.

Autor – Você – digo a qualquer pessoa – você é culpado das formigas que roerem minha boca destroçada pelo mecanismo da vida. Ângela não morre a morte porque já morre em vida: é assim que ela escapa do final fatídico em tendo uma amostra de morte total em dias cotidianos.

E de repente – de repente! jorra em mim uma avalanche demoníaca e revoltada: é que me pergunto se vale a pena Ângela morrer. Mato-a? ela se mata? Refreio minhas rédeas embora o potrim reclame. É que neste mesmo instante pensei melhor. E só resolverei depois que Ângela se manifestar em relação à morte.

A vida é tal modo crua e nua que mais vale um cachorro vivo que um homem morto. Estou tão arrepiado por essa descoberta estúpida que acendo uma vela para a memória do homem sepulto. Era tão perfeito que morreu.

Eu sempre quis atingir um estado de paz e de não luta. Eu pensava que era o estado ideal. Mas acontece que – que sou eu sem a minha luta? Não, não sei ter paz.

Minha pergunta é do tamanho do Universo. E a única resposta que me preenche a indagação é o próprio Universo.

Tenho porém um medo: é que se eu procurar não acharei.

Descobri um poder: o poder de estar num quarto fechado a chave: eu me aprisiono e me concretizo. Embora continue sendo uma abstração. Não é contraditório se concretizar e se abstrair: eu me concretizo num plano que não é do desígnio do mundo. Eu me obtenho no concretamente possível que existe dentro da abstração.

Quero justificar a morte. Será que, depois que a gente morre, de vez em quando acorda espantado? Há um mistério num copo d'água: eu olhando a água tranquila parece que leio nela a substância da vida. Como um vidente diante da bola faiscante de cristal. Esta história ainda não aconteceu. Vai acontecer no futuro. O futuro já está comigo e não vai me desatualizar. Ou vai?

Sou uma pergunta insistente sem que eu ouça uma resposta. Nunca ninguém me respondeu. Tento em vão encontrar em Ângela a resposta. Ponho-me de ouvido atento a escutar a resposta. Como se minha pergunta gritada me desse mais do que o eco da pergunta. Eu sei que a vida toda sempre é quase um símbolo. Mas meu coração não entenderia. Sempre então me faltará essa coisa? Pode-se viver sem essa coisa? Eu mal respondo.

Eu sinto uma beleza quase insuportável e indescritível. Como um ar estrelado, como a forma informe, como o não ser existindo, como a respiração esplêndida de um animal. Enquanto eu viver terei de vez em quando a quase-não-sensação do que não se pode nomear. Entre oculto e quase revelado. É também um desespero faiscante e a dor se confunde com a beleza e se mistura a uma alegria apocalíptica.

Gostaria de viver exclusivamente da meditação tola e fecunda na contemplação da morte e de Deus. Gostaria de dedicar-me a beijar crianças. Transportai-me eu vos suplico, eu não quero ser mais eu mesmo, eu sei que não sou mais eu mesmo. Eu sou vós. Sinto necessidade de arriscar minha vida. Só assim vale a pena viver.

– Ângela, meu amor, tateei no escuro das palavras para achar a tua. E minha mão voltou com uma palavra que me ofuscou: faruscante. Não sei o que quer dizer nem se existe o que descobri. Faz agora de manhãzinha um silêncio claro e leve e o pequeno jardim em sombra parece ser de um claustro. Há leve trepidação inaudível nas árvores: ouve-se essa trepidação com a pele do corpo. Ângela, ao te criar sinto um gosto de sangue na boca.

Ângela – Morre-se.

Autor – No fundo ela não acredita que se morre.

Ângela – Quando estou muito alegre de repente penso que se morre.

Autor – Mas ela está espantada mais com a vida do que com a morte.

Ângela – Para que existo? e a resposta é: a fome me justifica. Ah, é assim, não é? Pois bem, já que é assim eu me vingarei e viverei minha vida com brutalidade, sem piedade.

Autor – Para que existo? e a resposta é: a fome me justifica. Fico alegre quando sinto fome, tendo é claro o que comer. Só para ter uma finalidade imediata. Quando sinto fome, tenho uma razão de viver. Ou então quero que minha vida se justifique pelo intenso desejo de viver. O que me sustenta é a necessidade. A necessidade me faz criar um futuro. Porque o desejo é algo primitivo, grave e que impulsiona.

Ângela –Eu tenho gosto de lágrimas. Sou acompanhada por órgão e também por flauta doce. A flauta em espiral. E sou muito tango também. Sou desafinada, que posso fazer? Nasci esquerda. E com fome.
Tenho a impressão de que alguém vive a minha vida, que o que se passa nada tem a ver comigo, há uma mola mecânica em alguma parte de mim.
Eu quero simplesmente isto: o impossível. Ver Deus. Ouço o barulho do vento nas folhas e respondo: sim!
Há em minha volta tantos movimentos que eu os pensei: a morte me espera.
O meu movimento mais puro é o da morte.

Autor – Ângela já aprendeu a aceitar suas crises de medo: quando vêm ela se imobiliza de olhos fechados e procura se esquecer de si a ponto de ser um nada insensível.
Eu nunca chego a uma imersão total. Ah no dia em que eu me largasse inteiro – é o que espero. Enquanto isso, Ângela imperscrutável rocha granítica que é. Ou então um fluido aéreo que não consigo respirar. A todo instante prova uma fruta nova com prazer e sem medo do gosto. Mas esperta que ela é: sabe que só é veneno o que passarinho não come. A fruta nova é uma maçã oculta e transfigurada para não dar medo e não sair do paraíso. Assim engana ela o seu Deus. Para nunca morrer, Ângela prefere não existir. Estou criando o que só morre por esquecimento.

Ângela –Ser feliz é uma responsabilidade muito grande. Pouca gente tem coragem. Tenho coragem mas com um pouco de medo. Pessoa feliz é quem aceitou a morte. Quando estou feliz demais, sinto uma angústia amordaçante: assusto-me.

Sou tão medrosa. Tenho medo de estar viva porque quem tem vida um dia morre. E o mundo me violenta. Os instintos exigentes, a alma cruel, a crueza dos que não têm pudor, as leis a obedecer, o assassinato – tudo isso me dá vertigem como há pessoas que desmaiam ao ver sangue: o estudante de medicina com o rosto pálido e os lábios brancos diante do primeiro cadáver a dissecar. Assusta-me quando num relance vejo as entranhas do espírito dos outros. Ou quando caio sem querer bem fundo dentro de mim e vejo o abismo interminável da eternidade, abismo através do qual me comunico fantasmagórica com Deus. Tenho medo da lei natural que a gente chama de Deus. O temor. Os suicidas muitas vezes se matam porque têm medo de morrer. Não suportam a tensão crescente da vida e da espera do pior – e se matam para se verem livres da ameaça.

A gente sai de um Alfa para um Ômega e se destrói e trabalha e diverte e... Para quê? Caminhamos para um vórtice – *irremediavelmente*.

Não fazer nada pode ser ainda a solução.

Iam confundir isto com suicídio mas é mera coincidência. Tem sentido correr tanto atrás da felicidade, será que basta ser feliz? Será que ser feliz é um estado de tolerância?

Autor – Eu quero para o meu corpo a roupa boa, a comida selecionada francesa, dinheiro para viajar, amante para eu amar livremente, esposa para cuidar de mim. Mas tudo isso conservando minha alma de monge. Sei que isso é possível. É como saber manter-se sozinho no meio de uma multidão. É como distinguir a própria voz que quase se confundiria com o coro uníssono de muitas vozes: sentir o canto na garganta e ouvir-se. Tenho-tenho-que me ouvir: é que eu não me disse ainda certas coisas que são misteriosas e sagradas mas com gosto de sangue na boca. Coisas difíceis de serem plenamente vividas pois onde está o centro único da polpa da fruta para eu morder? Disparar enfim a seta. Mas se eu não atingir o exato alvo perecerei. É por medo disso que não ouso. Minha questão é de vida ou morte. Morrer por causa de uma palavra? Se essa palavra for cheia de si mesma e fonte de sonho – então vale a pena morrer por causa dela. Mas tudo o que faço é por medo dela. É por medo que estou dividido por uma mulher, a inventada por mim. Ao mesmo tempo não preciso de nada – plurificado pela simplicidade nua. Agora vou deixar Ângela falar bastante sobre o que ela quiser – para enquanto isso eu ter recolhimento de meu silêncio. Silêncio feliz. Sou um homem feliz porque nasci. E porque sei me calar. Calar-se é nascer de novo.

Ângela –Eu não sei mais como se entendem as coisas. Tudo parece louco. Hoje tomei um táxi e meu ar de Cristo fez com que o chofer de outro táxi me olhasse assustadíssimo quatro vezes. Oh humana face que deve ser a minha e é a tua. Estou viva ainda embora quase à morte.

Autor – Nota: quero ver se não esqueço de dar um rosto a Ângela.

Ângela –Às vezes eu me coloco numa situação de ver um pouco antes de ver mesmo. Eu pressinto o instante que se segue e cadencialmente minha respiração acompanha o ritmo do tempo. Eu que sinto antes de sentir. A harmonia é pressentir a próxima frase, o próximo som, a próxima visão.

Autor – A morte fica além da medida do homem. Por isso eu a estranho, à morte. Eu não tenho conhecimento de sua linguagem muda. Ou então ela talvez tenha linguagem possível de eu entender? Parece-me às vezes que a morte não é um fato é uma sensação que já devia estar comigo. Mas eu ainda não a alcancei.

Ângela – Depois que vivo é que sei que vivi. Na hora o viver me escapa. Sou uma lembrança de mim mesma. Só depois de "morrer" é que vejo que vivi. Eu me escapo de mim mesma. Às vezes eu me apresso em acabar um episódio íntimo de vida, para poder captá-lo em recordações, e para, mais do que ter vivido, viver. Um viver que já foi. Deglutido por mim e fazendo agora parte de meu sangue.

Autor – Estou cheio de recordações e tudo o que já é passado tem um toque de melancolia dolorida.
Que faço de tantas lembranças – senão enfim morrer.

Ângela – Minha tia Sinhá morreu de morte alegre. Ela riu na hora de morrer. Pode-se dizer que morreu de rir. Ela simplesmente driblou a morte: não morreu coisa alguma. Só que passou para outra para sempre. Estava lúcida: parecia lustre aceso, parecia música de órgão.
 Sinto que neste exato instante morre alguém. Isso me perturba, esse último suspiro, e na Irlanda nasce um forte menino ruivo. É como se me avisassem. Eu digo bom-dia ao robusto garoto.

Autor – Quando a gente escreve ou pinta ou canta a gente transgride uma lei. Não sei se é a lei do silêncio que deve ser mantido diante das coisas sacrossantas e diabólicas. Não sei se é essa lei que é transgredida.

Mas se eu falo é porque não tenho força de silenciar mais sobre o que sabemos e que devemos manter em sigilo. Mas quando essa coisa silenciosa e mágica se avoluma demais a gente desrespeita a lei e grita. Não é um grito triste não é um grito de aleluia também. Eu já falei isso no meu livro chamando esse grito de "it". Será que eu já morri e não notei? Será que já não existo?

Sinto que há um dedo que me aponta e me faz viver à beira da morte. Dedo de quem?

Ângela – Sim. Um dedo sangrento me aponta. Estremeço. Será o dedo da morte? Eu que me sobrevivo, eu rainha de Faraó. Mas do que eu gosto mesmo é de campeonato de futebol. Estarei viva na próxima copa do mundo? Espero que não, meu Deus, a morte me chama, toda atraente e toda bela. Oh morte por que não me respondes? eu te chamo todos os dias. Fui feita para morrer.

O êxtase de champanhe gelado. O êxtase científico.

Quanto a mim, não estou à altura do presente: este me ultrapassa um pouco. De mim pode-se dizer: "ela não sabe aproveitar". Deus me disse: vem. E eu fui toda gelada. O êxtase do apocalipse. Mas é capaz de eu nunca morrer. É capaz de eu ser eterna e tu também, meu amor. Serei eterna depois de minha morte? Ou sou apenas instantânea?

Eu sou essencialmente uma contraditória.

O sereno grafismo abstrato.

A banalidade como tema.

Oh como aspirava uma lânguida vida.

Árvore distorcida: bruxaria.

Sinto uma ânsia absoluta como se eu estivesse de braços abertos para o alto num gesto de receber e os lábios entreabertos para melhor inspirar – é como se eu ansiasse pelo além. Além de mim. Ultrapasso minhas fronteiras e entro no ar: o ar é o meu espaço. Antes tinha acontecido o caos e desse caos é que saiu o espetáculo.

Eu mereço uma condecoração por viver cada dia e cada noite trezentos e sessenta e cinco dias de suplício de tempo. Só a morte resolve.

Meu Deus, me dê a coragem de viver trezentos e sessenta e cinco dias e noites, todos vazios de Tua presença. Me dê a coragem de considerar esse vazio como uma plenitude. Faça com que eu seja a Tua amante humilde, entrelaçada a Ti em êxtase. Faça com que eu possa falar com este vazio tremendo e receber como resposta o amor materno que nutre e embala. Faça com que eu tenha a coragem de Te amar, sem odiar as Tuas ofensas à minha alma e ao meu corpo. Faça com que a solidão não me destrua. Faça com que minha solidão me sirva de companhia. Faça com que eu tenha a coragem de me enfrentar. Faça com que eu saiba ficar com o nada e mesmo assim me sentir como se estivesse plena de tudo. Receba em teus braços o meu pecado de pensar.

Vivo agonizando.

Oh salve-se quem puder porque para todas as horas é sempre chegada a hora. Cada instante é salve-se quem puder.

Ninguém descansa em cadeira de dentista.

Autor – Que espíritos brincalhões vieram interferir na linha telefônico-mental de Ângela? porque lembrar-se do dentista é coisa comezinha de mulher. Ângela é caprichosa.

Ângela – Está tudo podre. Eu o sinto no ar e nas pessoas em multidão amedrontada e faminta. Mas creio que no fundo da podridão existe – verde faiscante redentora e terra prometida – no mais fundo da escura podridão brilha límpida e fascinante a Grande Esmeralda. O Grande Prazer.

Mas por que esse desejo e fome de prazer? Porque o prazer é o máximo da veracidade de um ser. É a única luta contra a morte.

Quanto a mim, eu descobri a Morte. Mas como?! morrer sem ter entendido?? Mas isto é de estarrecer! É indigno do ser humano não ser capaz de entender nada da vida. Sim. Mas misteriosamente a gente cumpre os rituais da vida. Ofereço a minha vida em homenagem a quem ou de quê. Quero dedicá-la, como quando se dedica um livro. Deus não mata ninguém. A pessoa é que se morre.

Ainda que alguém. Protege o meu gol, Deus. Estou presa por quinze minutos. Que doidice deliciosa escrever 13 em número e não em palavras. Vou te esperar no outro mundo. Antes, porém, beijo meu pai e minha mãe. Serei um bebê rolando no espaço. Satélite de quem? Que arrepio senti de repente quando disse que não era satélite de ninguém.

Estou grave como a fome. Me espavorisco. Amanhece. Amanheço. Eu sou acorde de harpa. Gol.

Estou grave como a fome. Me espavorisco. Meu coração está de luto. Mas amanhece. Nossas sementes brotam. Amanheço. Não sou juiz não, meu senhor. Sou viola doce. Melhor que Carl Orf é o silêncio. Gol.

O que me separa do mundo é a minha futura morte. A morte será o meu maior acontecimento individual: a pessoa se despe de si mesma para morrer sozinha de si. A morte é uma atitude bíblica. E é sem história discursiva: ela é um instante. Morrer-se de uma vez só. A parada do coração não dura nada. É a mais ínfima fração de um segundo.

Autor – Ângela está continuamente em risco de vida. Porque nem sempre tenho forças para enfrentá-la e ao seu desafio. E, enfrentando-a, me enfrentar, quase sucumbo à lei da facilidade. Controlo-me para não contar os acontecimentos da vida de Ângela. Mas cairia no descritivo e discursivo e isso me causaria tédio e queda.

Ângela não só vive sem explicação mas também age inexplicavelmente enquanto isso vivo olhando a quase sempre imortalidade das coisas. Uma pedra vista como pedra, aí é que se torna pedra com sua eternidade relativa. Ângela acha que existe vida depois da morte mas ela está desaparelhada para entender de que espécie de estranha vida inaugural se segue com uma simplicidade inimitável essa vida depois da morte. Só que vida não é a vida que a gente pensa ter e a morte tem outro nome. Há quem saiba disso porque enxergou num vislumbre a própria ignorância do que é vida e morte. Essas pessoas vivem num estado de inquietante curiosidade enquanto os outros, pensando que VIDA é sua vida e a morte é o fim. E nunca adivinharão uma outra verdade. Sem falar na teoria da física da antimatéria, tudo tem verso e reverso, tudo tem sim e tem não, tem luz e tem trevas, tem carne e espírito, será nessa antimatéria que cairemos depois de mortos? Como se explica que cada corpo nascido tenha espírito? Acontece sempre o inesperado pois nunca ninguém pôs uma alma na vida que nasce.

É a hora da consumação.

Viver é o meu código e o meu enigma. E quando eu morrer serei para os outros um código e um enigma.

Despenhadeiros.

Eu não sabia que o perigo é o que torna preciosa a vida.

A morte é o perigo constante da vida.

A vantagem de Ângela sobre mim é que ela é inespacial, enquanto eu ocupo um lugar e mesmo depois de morto continuarei ocupando a terra.

Ângela –O futuro me chama danadamente – é para lá que eu vou. Desastre? Sei lá. Quando penso que um dia vou morrer me dobro em duas de tanto rir. A vida é uma piada. Mas meu rumo certo todos sabem qual é. Não aprendi mas sei. Enquanto escrevo pingam os minutos irreversíveis. É o Tempo passando. Eu penso alto. Quem me ouve? Olho para a cara da pessoa e vejo: ela vai morrer. Esta noite tive um sonho dentro de um sonho. Sonhei que estava calmamente assistindo artistas trabalharem no palco. E por uma porta que não era bem fechada entraram homens com metralhadoras e mataram todos os artistas. Comecei a chorar: não queria que eles estivessem mortos. Então os artistas se levantaram do chão e me disseram: nós não estamos mortos na vida real, só como artistas, fazia parte do show esse morticínio. Então sonhei um sonho tão bom: sonhei assim: na vida nós somos artistas de uma peça de teatro absurdo escrita por um Deus absurdo. Nós somos todos os participantes desse teatro: na verdade nunca morremos quando acontece a morte. Só morremos como artistas. Isso seria a eternidade?

Sei lá, sei apenas que gosto de brilhantes e de jade.

Não pense que escrevo aqui o meu mais íntimo segredo pois há segredos que eu não conto nem a mim mesma. E não é só o último segredo que não revelo: há muitos segredinhos primários que eu deixo que se mantenham em enigma. Entrego-me ao doce convívio da eternidade. Mas esta eu não sei se mereço.

Autor – Ao mesmo tempo ela se dá ao luxo de ser esfingética. Nada me conta de sua alma. Nada me conta de seus temores secretos. Eu é que tenho de adivinhá-la e dar-

-lhe apoio de cavalheiro. Mas não tolero mais e um dia desses darei meu grito de libertação ou faço-a suicidar-se. O que desejo sofregamente é me iniciar na fugidia Ângela que está sempre me escapando.

Ângela –Ontem o mundo me expulsou da vida. Hoje a vida nasceu. Ventania, muita ventania. Que instabilidade. Me muero. Vivo no futuro da ventania. Por que é que tudo se diz: fica para a semana que vem? Eu estou aqui, aqui à espera. Vivo agora e o resto que vá para a puta que o pariu. E meu cachorro que não fez nada. Só é. Eu também sou: é. Eu de bandeira esfarrapada.

Há velhos que morrem na primavera, não aguentam a arrebentação da terra.

Eu quero uma morte elegante. Aliás já morri e não soube. Sou o meu fantasma inquietante.

Autor – Eu te vivo como se a morte já nos tivesse separado. Tal a saudade que tenho de ti.

Tudo o que eu penso existe? por que minha imaginação é pobre e só penso em realidades, e se não existe, então por que é que penso?

Ângela –Uma ânsia. Queria poder viver tudo de uma só vez e não ficar vivendo aos poucos. Mas aí viria a Morte.

Quando eu morrer não saberei o que fazer de mim.

Deve haver um modo de não se morrer, só que eu ainda não descobri. Pelo menos não morrer em vida: só morrer depois da morte.

O mundo está ficando cada vez mais perigoso para mim. Depois de morta, cessará o perigo periclitante. Respirar é coisa de magia.

Quero que meu fim seja tão inevitável como a morte: o meu fim na vida será possuir. Eu sou virgem.

Eu quase que já sei como será depois de minha morte.

A sala vazia o cachorro a ponto de morrer de saudade. Os vitrais de minha casa. Tudo vazio e calmo.

Autor – Se me perguntarem se existe vida da alma depois da morte, respondo, bem sei que misteriosamente, por que não o mistério, se a coisa é mesmo misteriosa – respondo num hesitante esquema: existe mas não me é dado saber de que forma essa alma viverá. Ninguém ainda descobriu o estado de coisas depois da morte – porque é impossível imaginar qual seria a atitude do Deus, o mesmo Deus que inexplicavelmente para nós faz uma semente brotar. Eu não sei como a semente brota, eu não sei por que este céu azul, eu não sei para que esta minha vida porque tudo isso acontece de um modo que a minha mente humana desconhece. Vivo sem explicação possível. Eu que não tenho sinônimo.

Vida, vida recoberta em um véu de melancolia. Morte: farol que me guia em rumo certo. Sinto-me magnífico e solitário entre a vida e a morte.

Todo mundo sabe tudo.

A humanidade está ficando dura. Os fatos estão ficando contundentes.

A manhã é uma flor prematura. Manhã do nunca mais.

A incomunicabilidade de si para si mesmo é o grande vórtice do nada. Se eu não acho um modo de falar a mim mesmo a palavra me sufoca a garganta atravessando-a como uma pedra não deglutida. Eu quero ter acesso a mim mesmo na hora em que eu quiser como quem abre as portas e entra. Não quero ser vítima do acaso libertador. Quero eu mesmo ter a chave do mundo e transpô-lo como quem se transpõe da vida para a morte e da morte para a vida.

Ângela –Na hora de minha morte – que é que eu faço? Me ensinem como é que se morre. Eu não sei.

Autor – Perdi o Livro de Ângela, não sei onde deixei a vida dela.

Ângela –Obra? Não, eu quero a coisa prima. Quero a pedra que não foi esculpida. Eu me curei da morte. Nunca mais morri. Eu vejo tudo como se eu já tivesse morrido e visse tudo de longe. Então vem aquela tristeza de teia de aranha em casa abandonada. O que distrai é o ódio espumante. Ódio seco e fustigador. Pensar é tão imaterial que nem palavras tem. Nunca se esquecer, quando se tem uma dor, que a dor passará: nunca se esquecer que, quando se morre, a morte passará. Não se morre eternamente. É só uma vez, e dura um instante.

Autor – Eu ainda não me atingi. Os frangalhos de Ângela a fazem atingir-se? Minha ausência de mim me é dolorosa. Não há um ato em que eu me lance todo. E a grandiosidade da vida é lançar-se – lançar-se até mesmo na morte.
"Quero morrer" contigo de amor.
Então sonhador sorrio: sim, queria morrer de amor com um contigo.
Procuro alguém para lhe salvar a vida. Só quem me permite essa ação é Ângela. E ao salvar-lhe a vida, salvo a minha.

Ângela –Um lugar do mundo está esperando que eu o habite.
Fui feita para ninguém precisar de mim.

Autor – Em algum lugar do mundo alguém está esperando por mim.

Meu rosto parece dizer: minha vida não é significativa.

Só depois que você morrer é que vou te amar totalmente. Preciso de toda a tua vida para que eu a ame como se fosse minha.

Há um modo de ver que arrepia. O óbvio esquecido e espartano: vence o mais forte.

Ângela é mais forte do que eu. Eu morro antes dela.

Era um dia um homem que andou, andou e andou e parou e bebeu água gelada de uma fonte. Então sentou-se numa pedra e repousou o seu cajado. Esse homem era eu. E Deus estava em paz.

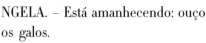NGELA. — Está amanhecendo: ouço os galos. Eu estou amanhecendo. O resto é a implícita tragédia do homem — a minha e a sua? O único jeito é solidarizar-se? Mas "solidariedade" contém eu sei a palavra "só".

[*Quando o olhar dele vai se distanciando de Ângela e ela fica pequena e desaparece, então o* AUTOR *diz:*]

— Quanto a mim também me distancio de mim. Se a voz de Deus se manifesta no silêncio, eu também me calo silencioso. Adeus.

Recuo meu olhar minha câmera e Ângela vai ficando pequena, pequena, menor — até que a perco de vista.

E agora sou obrigado a me interromper porque Ângela interrompeu a vida indo para a terra. Mas não a terra em que se é enterrado e sim a terra em que se revive. Com chuva abundante nas florestas e o sussurro das ventanias.

Quanto a mim, estou. Sim.

"Eu... eu... não. Não posso acabar."

Eu acho que...

POSFÁCIO
O AÇO DEMASIADO AGUDO DA MINHA LÂMINA DE VIDA

Quando em 1978, um ano após a morte de Clarice, *Um sopro de vida* chegou às livrarias, os seus leitores puderam reconhecer nele a presença de uma personagem que, quatro anos antes, aparecera num conto publicado em *Onde estivestes de noite*. Agora, no livro póstumo, a personagem Ângela Pralini ganha um destaque e uma vida maiores.

Como acontece em muitas das ficções de Clarice, *Um sopro de vida* deixa entrever, de forma mais ou menos velada, traços que reenviam para a autora empírica. Nada é óbvio na sua obra e muito menos quando se pretendem leituras sob um prisma autobiográfico. Esse é um dos seus grandes fascínios. Desde muito cedo o enigma e a indeterminação se impuseram quando se falava da autora e da sua escrita, quando se procuravam pistas e se propunham identificações. Nada é referencial e ao mesmo tempo tudo está lá. No conto de *Onde estivestes de noite* já referido, não existem evidências relativamente aos processos identificativos. E de repente, quase imperceptivelmente, ocorrem breves clarões iluminadores. Como quando, num relance, numa evocação da figura materna da personagem Ângela Pralini, se pode entrever uma projeção da mãe de Clarice: "Ângela estava amando a velha que era nada, a mãe que lhe faltava. Mãe doce, ingênua e sofredora. Sua mãe que morrera quando ela fizera nove anos de idade. Mesmo doente mas com vida servia. Mesmo paralítica." ("A partida do trem")

No caso de *Um sopro de vida*, uma obra que tematiza em sentido forte a problemática da escrita, reconhecemos nas intervenções dos personagens claras ressonâncias da voz da autora. Recordo especialmente ecos das respostas nas entrevistas, das reflexões nas crônicas ou dos testemunhos nas cartas sobre os seus processos criativos. No livro póstumo, o "Autor" afirma: "Me coisificam quando me chamam de escritor. Nunca fui e nunca serei. Recuso-me a ter papel de escriba no mundo." E Ângela: "Nunca dei certo escrevendo. Os outros são intelectuais e eu mal sei pronunciar meu lindo nome: Ângela Pralini. Uma Ângela Pralini?" Nas entrevistas, Clarice repetia sem cessar isto mesmo, em formulações muito aproximadas, quando insistia no fato de não gostar que olhassem para ela apenas como autora e quando contundentemente afirmava que não era uma escritora profissional, que não era intelectual. Em muitas dessas afirmações perpassa o sentido da busca incessante de uma verdade de vida para a escrita. Também aqui ocorre um movimento de duplo sentido. Na boca dos personagens de *Um sopro de vida* encontramos colocações similares, como que condensando numa espécie de aforismos esses pontos de vista. Assim: "Em cada palavra pulsa um coração. Escrever é tal procura de íntima veracidade de vida."

O texto está pejado de anotações de timbre diverso apresentadas pelo "Autor" sobre a feitura do livro em processo e sobre as tentativas da parte da personagem para escrever um livro também. Figura contraditória, Ângela tem uma ligação essencial à escrita, incumbência que lhe é atribuída pelo seu criador: um livro que talvez nunca venha a ser concluído. É justamente o "Autor", o personagem que com ela contracena e a todo o momento a desconsidera, que fala disso: "Escusado dizer que Ângela nunca vai escrever o romance cujo começo todos os dias ela adia. Não sabe que não tem capacidade de lidar com a feitura de um livro. Ela é inconsequente. Só consegue anotar frases soltas."

No denominado "Livro de Ângela", composto por blocos descritivos e reflexivos sobre "a coisa", encontramos múltiplas referências a objetos que, de outros lugares, reconhecemos pertencerem à sala de Clarice. Ângela fala do biombo "feito de roliços cilindros de jacarandá", da "mesinha com tampo de mármore", da cesta de papéis "de madeiras em tiras", de uma "uma caixa de prata" pela qual sente piedade, ou de um singular objeto com um design típico dos anos 1970, um "cilindro faiscante". Tudo é transfigurado pela visão criadora. O objeto eleva-se em esplendor quando olhado. O cilindro tem uma frincha na qual se introduzem "hastes praticamente invisíveis de tão delicadas e finas. E em cima de cada haste fica em glória uma bolinha redonda e pequena que parece uma joia de prata de lei".

Um sopro de vida revela outros recantos e outros flashes na sala de Ângela. Junto da personagem encontra-se o cachorro Ulisses. Precisamente como o vemos numa fotografia, na sala de Clarice, deitado a seus pés. A extraordinária ressonância que o animal ganha neste livro tem a ver, antes de mais nada, com o fato de ele aqui surgir numa longa sequência de uma fala de Ângela, intercalada por comentários do "Autor" também sobre o cão. E numa funda presciência da visão da sala depois da morte, Ângela entrevê ali Ulisses e a infinita saudade: "Eu quase que já sei como será depois de minha morte. A sala vazia o cachorro a ponto de morrer de saudade. Os vitrais de minha casa. Tudo vazio e calmo."

Elementos precisos transitam da biografia da escritora para a vida de Ângela, como é o caso da referência concreta a quadros pintados por Clarice que no livro são executados pela personagem: "Estou pintando um quadro com o nome de 'Sem Sentido'." Mais uma vez é o "Autor" que determina a atribuição dessa atividade: "Agora me deu vontade de fazer Ângela pintar." E é naturalmente na voz de Ângela que encontramos uma importante reflexão sobre o "método". Nem mais nem menos do que aquele que reconhecemos na execução dos quadros da própria Clarice, um modo de pintar que alia uma particular atenção ao suporte escolhido, a madeira (seguindo o natural desenho das suas nervuras), a par da libertação da onda de criatividade vinda do subconsciente.

E quando menos se espera, também neste livro, onde a explicitação referencial parece ser maior, pequenas joias menos óbvias fazem brilhar os sentidos da apresentação do rosto. Como num fragmento onde reconhecemos um belíssimo autorretrato de Clarice ela mesma. Como se de uma pintura por palavras se tratasse. É numa das anotações do "Livro de Ângela", quando a personagem fala da "Mulher--coisa", que o lemos: "O olhar ganha então um tão terrível mistério que parece um vórtice de abismo. Uso batom escarlate nos meus lábios: isto é a minha provocação. Tenho sobrancelhas que perguntam sem parar mas não insistem, são delicadas. Esse rosto-objeto tem um nariz pequeno e arredondado que serve a esse objeto que sou para farejar que nem cão de caça. Tenho uns segredos: meus olhos são verdes tão escuros que se confundem com o negro. Em fotografia desse rosto de que eu vos falo com certa solenidade os olhos se negam a ser verdes: fotografada sai uma cara estranha de olhos pretos e levemente orientais."

Deve-se a Olga Borelli a transcrição dos manuscritos inéditos e a ordenação dos fragmentos de *Um sopro de vida* em formato de livro. Olga Borelli conheceu Clarice Lispector em dezembro de 1970 e dela se manteve muito próxima desde essa altura até a morte da escritora. Nas primeiras edições, uma nota de Olga Borelli dava conta do fato de ter testemunhado o processo criativo da autora: "Eu anotava pensamentos, datilografava manuscritos e, principalmente, partilhava dos momentos de inspiração de Clarice." Há um dado relevante referido nesta nota proemial e que diz respeito ao tempo da escrita do livro, entre 1974 e 1977: "Simultaneamente à sua criação, ela escreveu nesse período *A hora da estrela*, sua última obra publicada."

Noutros lugares encontramos elementos que fornecem pistas sobre o início da elaboração de *Um sopro de vida* em 1974. Refiro-me concretamente a uma entrevista de Clarice, justamente neste ano, no semanário *O Pasquim*. À pergunta sobre as ideias que estava tendo para futuros trabalhos, contrariamente ao que é habitual, Clarice respondeu com o anúncio de um título: "Trata-se de um romance chamado *Sete semanas*." Ainda sobre os processos de intitulação dos livros, esclareceu que os nomes lhe apareciam enquanto estava trabalhando, e sobre o andamento desse livro em particular referiu que estava tomando notas. Tudo indica que Clarice se reportava aqui ao projeto que viria a ter um rumo e um título diferentes, precisamente *Um sopro de vida*. Aliás, este procedimento de alterações dos nomes dos livros já ocorrera em outros momentos, como foi o caso de *A maçã no escuro*, quando este já se encontrava terminado e, num quadro mais próximo do de *Um sopro de vida*, refiram-se as conhecidas alterações que antecederam o título *Água viva*, ao longo do atormentado processo de feitura e depuração do livro publicado em 1973. A confirmação de que *Sete semanas* era de fato o nome inicial dado ao projeto de *Um sopro de vida* encontra-se em alguns dos seus manuscritos, onde, a encabeçar as folhas, aparecem indicações como "2ª semana" e "7ª semana".

Em relação à simultaneidade da escrita dos dois últimos livros, a análise dos manuscritos (depositados no Instituto Moreira Salles) também nos conduz a essa comprovação. Encontramos, em alguns casos numa mesma folha, frases com a indicação de pertença ao romance *A hora da estrela*, a par de frases que se destinam a *Um sopro de vida*. O arco temporal comum à escrita dos fragmentos dos dois livros terá tido implicações no aparecimento de algumas similitudes significativas que entre eles se verificam. As afinidades mais diretas prendem-se, por exemplo, com pontos de contato encontrados nas intervenções do "Autor" em *Um sopro de vida* e nas do narrador autodiegético, Rodrigo S.M., em *A hora da estrela*.

Antes de tudo, uma idêntica visão da parte destes dois personagens escritores no que diz respeito aos respectivos processos de escrita. Rodrigo S.M. como que escreve na hora mesma em que é lido, como afirma no relato. Para o personagem "Autor", em *Um sopro de vida*, "cada anotação é escrita no presente. O instante já é feito de fragmentos. Não quero dar um falso futuro a cada vislumbre de um instante. Tudo se passa exatamente na hora em que está sendo escrito ou lido."

Assinalem-se ainda as semelhanças nos quadros que visam a aproximação aos personagens centrais por parte dos narradores-autores. Para se "pôr ao nível da nordestina" e "para poder captar sua alma", Rodrigo S.M. propõe-se a si mesmo um caminho de ascese, fechando-se num cubículo, vestindo-se "com roupa velha rasgada", alimentando-se frugalmente, abstendo-se de sexo e de futebol e não entrando mesmo "em contato com ninguém". De certa forma, o impulso é o mesmo que em *Um sopro de vida* leva o "Autor" a viver sem luxos, de modo a entrar devagar no seu "próprio e inestimável e infinito deserto", a fim de livremente e sem interferências criar Ângela. Também aqui o "Autor" manifesta o desejo de se isolar num mosteiro, de vestir roupas velhas, abstendo-se de sexo com a sua mulher, propondo-se "comer apenas o que era de nascedouros e provindo sem dor, só brotando nu como o ovo, como a uva".

Nesta aproximação existe contudo uma diferença. Para criar Macabéa, Rodrigo S.M. necessita de encontrar uma linguagem que não contamine a essência rala e delicada da personagem. Em *Um sopro de vida*, o esforço para atingir a palavra adequada é para o "Autor" um caminho conflituante. Para se encontrar consigo mesmo, ele precisa de se libertar do "luxo de alma" que tomou conta de Ângela e é por isso que tanto se aproxima como se afasta da personagem a quem dá vida.

Muito anos antes, numa entrevista concedida a Rosa Cass no *Diário de Notícias*, de 30 de julho de 1961, as palavras de Clarice sobre o modo como ela própria se preparava para a escrita são absolutamente reveladoras: "– Nada de colares, pulseiras ou outros enfeites – diz ela. Nem arrumação. No que eu me arrumo a coisa se desarranja. É como se eu precisasse sentir-me despojada, para me encontrar comigo mesma."

A invenção de Ângela é o ponto de arranque do livro: "O que a nossa imaginação cria se parece com o processo que Deus tem de criar." À semelhança do relato do *Gênesis*, o criador molda a criatura e dá-lhe vida com o seu sopro: "Também eu uso meu sopro e invento Ângela Pralini e faço-a mulher. Mulher linda." Ângela nasce de uma urgência. Ela impõe-se ao "Autor", mas no fundo é ele mesmo que necessita absolutamente desse desdobramento para se entender a si mesmo, para se reconduzir ao um. Muitas das falas deste personagem, em suas dúvidas e perplexidades, vão no sentido desse questionamento feito diante do leitor, pois este como que é chamado a testemunhar.

A sucessão das falas do "Autor" e da personagem por si criado, numa alternância de aparente configuração dialogante, acaba por nos fazer ver que não existe propriamente um credível contraste de registos. Diz a dada altura o "Autor": "Ei-la falando como se fosse comigo mas fala para o ar e nem sequer para si mesma e só eu aproveito do que ela fala porque ela é de mim para mim. Ângela é o meu personagem mais quebradiço. Se é que chega a ser personagem: é mais uma demonstração de vida além-escritura como além-vida e além-palavra."

O espantoso jogo dialógico entre discursos quase sempre desencontrados conduz a uma certa indistinção de falas. Como se por fim se dissolvesse o movimento tensivo e as intervenções do criador e da criatura se fundissem numa espécie de fluxo contínuo, voz plena de contradições: "Até onde vou eu e em onde já começo a ser Ângela? [...] Ângela é a minha vertigem. Ângela é a minha reverberação, sendo emanação minha, ela é eu. Eu, o autor: o incógnito. É por coincidência que eu sou eu." Mesmo quando se afirmam em registos distanciadores, os personagens acabam por ser dialeticamente reconduzidos à evidência da revelação da figura autoral: *eles sou eu*. A dada altura do livro, Ângela fala do frêmito de vida, do "aço demasiado agudo da [sua] lâmina de vida". É esse o modo como Clarice a todo o momento se joga inteira na vida e na escrita. Sem qualquer espécie de embotamento. Sem concessões.

A relação da mulher com a máquina configura aqui um ponto assinalado, particularmente visível na seção "Livro de Ângela". A personagem é uma peça da engrenagem, coisa diante da coisa, querendo escrever um livro sobre as coisas: "Uma mecanização fatal faz com que Ângela veja mais as 'coisas' e não os seres humanos." Ângela fala de máquinas com um estranho fascínio de quem as não entende, mas sabendo que faz parte desse mundo maquínico. No seu livro anota reflexões sobre o carro, o guindaste, o elevador, a vitrola... O seu projeto de escrita liga-se a esse desejo de sintonização com a engrenagem do mundo: "O objeto – a coisa – sempre me fascinou e de algum modo me destruiu." O referente, o real multiforme, tudo o que a rodeia lhe aparece de certo modo como máquina. É nessa mesma linha em que nos é dado a ver o texto em construção. Este é um núcleo central do livro.

Mais do que nunca, a apresentação da oficina é-nos apresentada aqui, na sua expressão mais direta, como que se estivéssemos diante da escritora, testemunhando o processo de criação, tal como propõem os narradores escritores de *A hora da estrela* e deste livro. Vemos o laboratório de uma forma nítida: "Escrevo muito simples e nu."

O olhar em perspectiva a partir do fim ilumina os ecos de outros lugares da obra que aqui repercutem. E, no entanto, se *Um sopro de vida* é de fato um ponto de chegada, onde tudo ecoa, também o podemos ler como princípio. Por exemplo, as reflexões sobre a relação entre o pensamento e a palavra emergente, entrevistas em figurações como a música, coisa que já encontrávamos em *Perto do coração selvagem*, são agora revisitadas, no derradeiro livro, com um foco mais preciso e referencializado, mas podem ser colocadas ao lado das que líamos ali. Tudo nos conduz ao sentido da obra como exercício, como incessante procura. Num dos fragmentos do livro *Para não esquecer*, lemos o seguinte: "Se eu tivesse de dar um título à minha vida seria: à procura da própria coisa." A literatura (como a vida) é lugar de experimentação contínua. Tendo ficado inacabado, *Um sopro de vida* permite ao mesmo tempo ler, nesse inacabamento, o princípio da continuidade – estado de uma absoluta imanência, afirmação do devir-escrita. Texto embrionário, próximo do corpo do sujeito da escrita, o livro póstumo é, ao mesmo tempo, o mais distanciado da concepção totalizadora do texto-corpo fechado. Pode dizer-se que este é o livro da pura anotação, da pura dicção: "Minha vida é feita de fragmentos e assim acontece com Ângela. [...] O que está escrito aqui, meu ou de Ângela, são restos de uma demolição de alma, são cortes laterais de uma realidade que se me foge continuamente. Esses fragmentos de livro querem dizer que eu trabalho em ruínas."

Ver-se-á no texto inacabado uma preciosa imperfeição: um imenso reservatório de coisas, extraordinário laboratório, bloco de anotações, livro de frivolidades e de funduras inapreensíveis. Como em nenhum outro lugar que mostra a gênese impetuosa do escrever, este é também o lugar que melhor diz a dissolução dos conceitos de princípio e de fim.

Se em *Um sopro de vida* domina o estilhaçamento, pode observar-se como essa pulverização não obsta à existência de expressivos núcleos temáticos, recorrências que funcionam como esteios coesivos. Falo antes de tudo da vertente metaliterária, dominante linha de coesão visível da primeira à última linha, mas também de outros núcleos expressivos, como o que diz respeito à questão de Deus e do divino, ou ainda as reflexões sobre o sonhar acordado, a coisa, a morte, o impulso vital...

Uma das mais relevantes zonas temáticas é a que se reporta ao sonho acordado. Olga Borelli assinala-a em intitulações de duas seções do livro. Como se revela o mundo a partir desse ângulo? "Este é um livro de não memórias. Passa-se agora mesmo, não importa quando foi ou é ou será esse agora mesmo. É um livro como quando se dorme profundo e se sonha intensamente." Notas como esta ocorrem em vários dos fragmentos e nelas implica-se a problemática do real e do irreal. Em que medida é que o real pode ser apreendido pelo sono ou pelo sonho? Em que medida é que a realidade criada pela palavra no ato da escrita é mais real do aquilo que comumente se designa por real?

Clarice afirmou sem cessar que nunca lhe interessou a narração dos fatos. E repetiu em vários lugares que a sua obra não fala de acontecimentos mas sim da repercussão deles na pessoa. É nesse sentido que o sonho, o sono, o sonambulismo configuram uma zona que se adequa aos fluxos discursivos no livro. O sonambulismo constitui uma linha temática especialmente associada a Ângela e à sua "entrada em cena". Como na didascália de uma peça teatral, o seu estado é definido entre parênteses "Ângela (Profundidade: sonambulismo)"; "Ângela (Sonambulismo)". É no sonho acordado que a personagem tem existência. O sonho mimetiza o real inexplicável? Ou é o contrário? Talvez seja o real, tão incerto e indefinido, a réplica de um lugar e de um tempo nítidos a que se dá o nome de sonho.

Deus encontra neste livro um lugar de demora e atenção. Desde o plano da criação e da vivência do divino por parte do "Autor" às experiências místicas de Ângela. A via da amplificação é um modo de reconhecimento e conexão: "Às nossas perguntas Deus responde com pergunta maior e assim nos alargamos em espasmos para uma criança em nós nascer." Essas indagações, por outro lado, estão intimamente ligadas à reflexão sobre o silêncio e a palavra. Existe um paralelo entre a experiência criativa e a experiência mística. Numa como noutra, a travessia conduz ao inominável:

"**Autor**. – Tudo o que Ângela não entende ela chama de Deus. [...] Essa iluminação de Ângela não consegue se evidenciar em palavras."

"**Ângela**. – Estou ainda semimergulhada nas sensações místicas. [...] Eu não gosto de me explicar. Prefiro a penumbra do não-saber. Eu vivo em êxtases provisórios. Vivo dos dejetos de naufrágio que o mar rejeita para a praia."

Clarice diz-nos isso mesmo todo o tempo sobre as mais fundas experiências da escrita: elas não podem ser reduzidas aos termos de um puro entendimento racional.

Há muitas histórias que se contam. Grande parte delas estão narradas nas biografias. O meu convívio de há tantos anos com Clarice, um convívio demorado com os seus textos, lidos e relidos incessantemente, com o seu arquivo de cartas, fotografias e outros documentos, com as suas entrevistas e com tudo o que vou encontrando sobre a sua vida, dá-me um retrato quase de corpo inteiro, na medida em que é possível captar o retrato de alguém em corpo inteiro, sabendo de antemão da impossibilidade. Conheci algumas pessoas que conviveram com Clarice. O que ouvi confirma uma profunda sintonia entre a mulher de carne e osso e a obra enorme que criou. Essas histórias ajudam a torná-la mais presente, mais viva. Uma mulher de fúrias e delicadezas. De silêncios e palavras preciosas. Mas também acho que ninguém falou melhor dela do que ela própria. Quase sempre nas entrelinhas. Às vezes mais diretamente. Às vezes humoradamente, como quando afirma: "Não sou importante, sou uma pessoa comum que quer um pouco de anonimato. Detesto dar entrevistas. Ora essa, sou uma mulher simples e um pouquinho sofisticada. Misto de camponesa e de estrela no céu."

A minha leitura repetida de *Um sopro de vida* conduz--me à Clarice de um dado tempo – os seus últimos anos. Consigo ouvi-la, em todas as linhas deste livro, na alternância das falas dos personagens, como se a estivesse a escutar na sala do seu amplo apartamento do Leme. Foi ali que quase todos os manuscritos foram escritos e alguns deles ditados a Olga Borelli. Talvez por isso ao ler o livro também se interponha o tempo todo o rosto de Clarice, como se interpõe o discurso direto das suas declarações de muitas entrevistas. Tudo aqui conflui naquilo a que Eduardo Prado Coelho chamou de "diálogo-a-um". Na verdade, o que captamos é sempre e apenas um pouco de Clarice. Recorto e colo ao lado das falas dos personagens do livro uma resposta, entre muitas possíveis, neste caso numa entrevista concedida a Celina Farias que recebe precisamente o título "Um pouco de Clarice Lispector": "Guerra me horroriza, me mostra como o indivíduo não é divino. Não sei se acredito em Deus. Às vezes creio, às vezes, não. Tenho motivos de felicidade, como todo mundo e como todo mundo tenho minha dose de infelicidade. Sou uma mulher de esperança, não me considero pessimista, acho que o ser humano sofre mesmo, acredito na vida." (*A Província do Pará*, 24 e 25 de maio de 1970)

Contundente, humorada, impaciente, contraditória, ela é Sol e Lua, é Ângela e é "Autor". Como estes personagens, interrogativa, meditativa, intensa. Em *Um sopro de vida*, fala-se muito de morte e, mais do que tudo, de vida.

A pulsão vital emerge do próprio ritmo de que se alimenta a escrita deste e dos outros textos. Chegamos ao fim do livro e tudo recomeça. A vertigem que a obra de Clarice provoca é a da leitura do texto como se estivéssemos lá dentro, também nós em permanente indagação. Como se pudéssemos participar desse fulgurante e caótico adensamento que vai ganhando forma de coisa viva – a dança das frases lançadas em plena libertação – uma das mais esplendorosas e radicais experiências-limite da linguagem reveladas no interior de um discurso literário.

— CARLOS MENDES DE SOUSA

Este livro, publicado em nova edição no quadro das comemorações do centenário de nascimento de Clarice Lispector, foi impresso com as fontes Didot e Akzidenz Grotesk.